劉福春・李怡 主編

民國文學珍稀文獻集成

第一輯
新詩舊集影印叢編　第28冊

【冰心卷】

繁星

上海：商務印書館 1923 年 1 月版

冰心 著

春水

1・北京：新潮社 1923 年 5 月版
2・上海：北新書局 1925 年 8 月版

冰心 著

花木蘭文化出版社

國家圖書館出版品預行編目資料

繁星／春水／冰心 著 — 初版 — 新北市：花木蘭文化出版社，2016
〔民 105〕
96 面／168／126 面；19×26 公分
（民國文學珍稀文獻集成・第一輯・新詩舊集影印叢編 第 28 冊）
ISBN：978-986-404-622-5（套書精裝）
831.8   105002931

ISBN-978-986-404-622-5

9 789864 046225

民國文學珍稀文獻集成・第一輯・新詩舊集影印叢編（1-50 冊）
第 28 冊

繁星
春水

著　　者	冰心	
主　　編	劉福春、李怡	
企　　劃	首都師範大學中國詩歌研究中心	
	北京師範大學民國歷史文化與文學研究中心	
	（臺灣）政治大學民國歷史文化與文學研究中心	
總 編 輯	杜潔祥	
副總編輯	楊嘉樂	
編　　輯	許郁翎	
出　　版	花木蘭文化出版社	
社　　長	高小娟	
聯絡地址	235 新北市中和區中安街七二號十三樓	
	電話：02-2923-1455／傳眞：02-2923-1452	
網　　址	http://www.huamulan.tw 信箱 hml810518@gmail.com	
印　　刷	普羅文化出版廣告事業	
初　　版	2016 年 4 月	
定　　價	第一輯 1-50 冊（精裝）新台幣 120,000 元	

繁星

冰心 著

冰心（1900-1999）原名謝婉瑩，女，生於福建福州。

商務印書館（上海）一九二三年一月初版。原書三十二開。

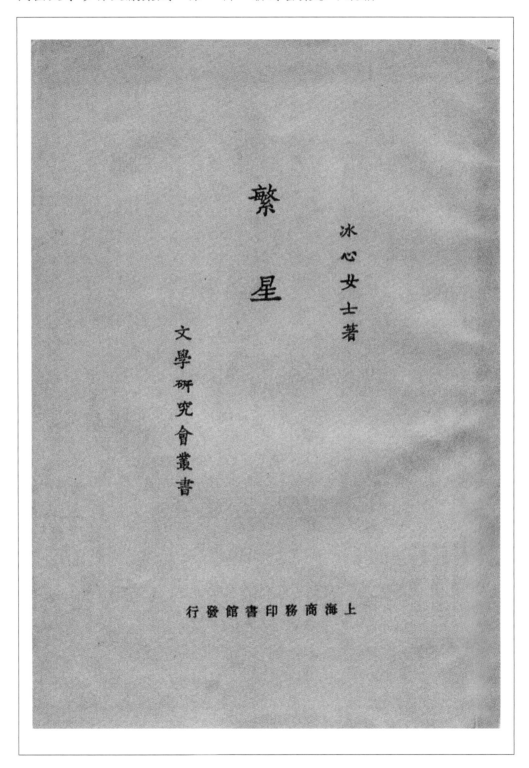

繁星

冰心女士著

文學研究會叢書

上海商務印書館發行

自序

一九一九年的冬夜,和弟弟冰仲圍爐讀太戈爾 R. Tagore 的迷途之鳥〈Stray Birds〉冰仲和我說:「你不是常說有時思想太零碎了,不容易寫成篇段麼?其實也可以這樣的收集起來。」從那時起,我有時就記下在一個小本子裏。

一九二〇年的夏日,二弟冰叔從書堆裏,又翻出這小本子來,他重新看了又寫了「繁星」兩個字,在第一頁上。

一九二一年的秋日小弟弟冰季說,「姊姊!你這些小故事,也可以在紙上麼?」我就寫下末一段,將他發表了。

是兩年前零碎的思想經過三個小孩子的鑒定。繁星的序言,就是個。

冰心 九・一・一九二二・

繁——星

一

繁星閃爍着——
深藍的太空，
何曾聽得見他們對語？
沈默中，
微光裏，
他們深深的互相頌讚了。

二

童年呵！
是夢中的眞，

是真中的夢，
是回憶時含淚的微笑。

三

萬頃的顫動——
深黑的島邊，
月兒上來了，
生之源，
死之所！

四

小弟弟呵！

繁——星

我靈魂中三顆光明喜樂的星。

無可言說的，
溫柔的，

靈魂深處的孩子呵！

五

黑暗，
怎樣幽深的描畫呢？
心靈的深深處，
宇宙的深深處，
燦爛光中的休息處。

星——繁

六

鏡子
對面照着，
反而覺得不自然，
不如翻轉過去好。

七

醒着的，
只有孤憤的人罷！
聽聲聲算命的鑼兒，
敲破世人的命運。

繁——星

八

幾花綴在繁枝上；
鳥兒飛去了，
撒得落紅滿地——
生命也是這般的一瞥麽？

九

夢兒是最瞞不過的呵！
清清楚楚的，
誠誠實實的，
告訴了
你自己靈魂裏的密意和隱憂．

五

星——繁

一〇

嫩綠的芽兒，
和青年說：
「發展你自己！」

淡白的花兒，
和青年說：
「貢獻你自己！」

深紅的果兒，
和青年說：

六

星——繁

「犧牲你自己！」

一一

無限的神祕，
何處尋他？
微笑之後，
言語之前，
便是無限的神祕了，

一二

人類呵！
相愛罷，

七

星——繁

我們都是長行的旅客，
向着同一的歸宿。

一三

一角的城牆，
蔚藍的天。
極目的蒼茫無際——
即此便是天上——人間。

一四

我們都是自然的嬰兒，
臥在宇宙的搖籃裏。

星———繁

一五

小孩子！
你可以進我的園，
你不要摘我的花——
看玫瑰的刺兒，
刺傷了你的手，

一六

青年人呵！
爲着後來的回憶，
小心着意的描你現在的圖畫。

九

一七

我的朋友！
為什麼說我「默默」呢？
世間原有些作為，
超乎語言文字以外．

一八

文學家呵！
着意的撒下你的種子去，
隨時隨地要發現你的果實．

繁————星

一九

我的心，

孤舟似的，

穿過了起伏不定的時間的海．

二〇

幸福的花枝，

在命運的神的手裏，

尋覓着要付與完全的人．

二一

窗外的琴絃撥動了，

——十——

我的心呵！
怎只深深的繞在餘音裏，
是無限的樹聲，
是無限的月明。

二二

生離——
是朦朧的月日，
死別——
是憔悴的落花

二三

〰〰〰〰〰〰〰 星——繁 〰〰〰〰〰〰〰

心靈的燈，
在寂靜中光明，
在熱鬧中熄滅，

二四

向日葵對那些未見過白蓮的人，
承認他們是最好的朋友。
白蓮出水了，
向日葵低下頭了；
她亭亭的傲骨，
分別了自己。

〰〰〰〰 三十 〰〰〰〰

— 17 —

星——繁

二五

死呵！
起來頌揚他；
是沉默的終歸，
是永遠的安息。

二六

高峻的山巔，
深闊的海上——
是冰冷的心，
是熱烈的淚；
可憐微小的人呵！

星——繁

詩人，
是世界幻想上最大的快樂，
也是事實中最深的失望
」

二七

故鄉的海波呵！
你那飛濺的浪花，
從前怎樣一滴一滴的敲我的磐石，
現在也怎樣一滴一滴的敲我的心絃。

二八

二九

我的朋友，
對不住你；
我所能付與的慰安，
只是嚴冷的微笑

三〇

光陰難道就這般的過去麼？
除却縹緲的思想之外，
一事無成！

三一

繁——星

「文學家是最不情的——
人們的淚珠，
便是他的收成。」

三二
玫瑰花的刺，
是攀摘的人的嗔恨，
是她自己的慰樂」

三三
母親呵！
撇開你的憂愁。

容我沉醉在你的懷裏，
只有你是我靈魂的安頓。

三四

創造新陸地的，
不是那滾滾的波浪，
却是他底下細小的泥沙。

三五

萬千的天使，
要起來歌頌小孩子；
小孩子！

繁——星

他細小的身軀裏，
含着偉大的靈魂．

三六

陽光穿進石隙裏，
和極小的刺果說：
「藉我的力量伸出頭來罷，
解放了你幽囚的自己！」

樹幹兒穿出來了，
堅固的磐石，
裂成兩半了．

三七

藝術家呵——

你和世人，

難道終久的隔着一重光明之霧？

三八

井欄上，

聽潺潺山下的河流——

料峭的天風，

吹着頭髮；

天邊——地上，

星——繁

一回頭又添了幾顆光明，
是星兒，
還是燈兒？

三九

夢初醒處，
山下幾疊的雲衾裏，
驚見了光明的她．

朝陽呵！
臨別的你，
已是堪憐，
怎似如今重見！

四〇

我的朋友！
你不要輕信我，
貽你以無限的煩惱，
我只是受思潮驅使的弱者呵！

四一

夜已深了，
我的心門要開着——
一個浮踪的旅客，
思想的神，

繁——星

在不意中要臨到了．

四二

雲彩在天空中，
人在地面上；
思想被事實禁錮住，
便是一切苦痛的根源。

四三

真理，
在嬰兒的沈默中，
不在聰明人的辯論裏．

星——繁

四四

自然呵！
請你容我只問一句話，
一句鄭重的話；
我不曾錯解了你麼？

四五

言論的花兒
開的愈大，
行為的果子
結得愈小。

繁——星

四六

松枝上的蠟燭，
依舊照着罷！
反復的調兒，
彈再一闋罷！
等候着，
遠別的弟弟，
從夜色裏要到門前了。

四七

兒時的朋友：

海波呵，
山影呵，
燦爛的晚霞呵，
悲壯的喇叭呵；
我們如今是疏遠了麼？

四八

弱小的草呵！
驕傲些罷，
只有你普遍的裝點了世界．

四九

星——繁

零碎的詩句，
是學海中的一點浪花罷；
然而他們是光明閃爍的，
繁星般嵌在心靈的天空裏。

五〇

不恆的情緒，
要迎接他麼？
他能湧出意外的思潮，
要創造神奇的文字。

五一

常人的批評和斷定，

好像一羣瞎子，

在雲外推測着月明。

五二

軌道旁的花兒和石子——

只這一秒的時間裏，

我和你

是無限之生中的偶遇，

也是無限之生中的永別；

再來時，

萬千同類中，

星——繁

何處更尋你？

五三

我的心呵！
警醒着，
不要捲在虛無的旋渦裏！

五四

我的朋友！
起來罷，
晨光來了，
要洗你的隔夜的靈魂。

星——繁

五五

成功的花，
人們只驚慕她現時的明豔！
然而當初她的芽兒，
浸透了奮鬥的淚泉，
灑遍了犧牲的血雨。

五六

夜中的雨，
絲絲的織就了詩人的情緒。

繁——星

五七

冷靜的心，
在任何環境裏，
都能建立了更深微的世界．

五八

不要羨慕小孩子，
他們的知識都在後頭呢，
煩悶也已經隱隱的來了．

五九

誰信一個小「心」的嗚咽．

三十一

顫動了世界？

然而他是靈魂海中的一滴●

六〇

輕雲淡月的影裏，

風吹樹稍——

你要在那時創造你的人格●

六一

風呵！

不要吹滅我手中的蠟燭，

我的家還在這黑暗長途的盡處●

繁——星

六二

最沈默的一剎那頃，
是提筆之後，
下筆之前。

六三

指點我罷，
我的朋友！
我是橫海的燕子，
要尋覓隔水的窩巢。

星——繁

聰明人！
要隄防的是：
憂鬱時的文字，
愉快時的言語。

六四

造物者呵！
誰能追踪你的筆意呢？
百千萬幅圖畫，
每晚窗外的落日。

六五

繁——星

六六

深林裏的黃昏，
是第一次麼？
又好似是幾時經歷過。

六七

漁娃！
可知道人羨慕你？
終身的生涯．
是在萬頃柔波之上．

六八

詩人呵！
緘默罷；
寫不出來的，
是絕對的美。

六九

春天的早晨，
怎樣的可愛呢！
融冶的風，
飄揚的衣袖，
靜悄的心情。

七○

星——繁

籠中的鳥！
何必和籠裏的同伴爭噪呢？
你自有你的天地．

七一

這些事——
是永不漫滅的回憶；
月明的園中，
藤蘿的葉下，
母親的膝上．

七二

七十三

西山呵！
別了！
我不忍離開你，
但我苦憶我的母親．

七三
無聊的文字，
拋在爐裏，
也化作無聊的火光．

七四
嬰兒，

星——繁

是偉大的詩人，
在不完全的言語中，
吐出最完全的詩句．

七五

父親呵！
我要聽你說你的海．
出來坐在月明裏，

七六

月明之夜的夢呵！
遠呢？

近呢？
但我們祇這般不言語，
聽——聽
這微聲心絃的聲！
眼前光霧萬重，
柔波如醉呵！
沉——沉．

七七

小磐石呵！
堅固些罷，
準備着前後相催的波浪！

七八

眞正的同情，
在憂愁的時候，
不在快樂的期間。

七九

早晨的波浪，
已經過去了；
晚來的潮水，
又是一般的聲音。

八〇

母親呵！
我的頭髮，
披在你的膝上，
這就是你付與我的萬縷柔絲。

八一

深夜！
請你容疲乏的我，
放下筆來，
和你有少時寂靜的接觸。

星——繁

八二

這問題很難回答呵，

我的朋友！

什麼可以點綴了你的生活？

八三

小弟弟！

你惱我麼？

燈影下，

我只管以無稽的故事，

來騙取你，

緋紅的笑頰，

三十四

凝注的雙眸。

八四

窺篶呵！
多少心靈的舟，
在你軟光中浮泛。

八五

父親呵！
我願意我的心，
像你的佩刀，
這般的寒生秋水——

星——繁

八六

月兒越近，
影兒越濃，
生命也是這般的真實麼？

八七

知識的海中，
神祕的礁石上，
處處閃爍著懷疑的燈光呢，
感謝你指示我，
生命的舟難行的路！

八八

冠冕？
是暫時的光輝，
是永久的束縛。

八九

花兒低低的對看花的人說：
「少顧念我罷，
我的朋友！
讓我自己安靜著，
開放着，

星——繁

你們的愛
是我的煩擾，」

九〇

坐久了，
推窗看海罷！

將無邊感慨，
都付與天際微波。

九一

命運！
難道聰明也抵抗不了你？

生——死

都挾帶着你的權威 ●

九二

去也——

風冷衣單

何曾入到煩亂的心？

朦朧裏數著曉星，

怪驢兒太慢，

山道太長——

朝露還串珠般呢！

星——繁

夢兒欺枉了我，

母親何曾病了？

歸來也——

彎兒緩了，

陽光正好，

野花如笑；

看朦朧曉色，

隱着山門。

九三.

我的心呵！

是你驅使我呢，

星——繁

還是我驅使你？

消磨我青年的光陰！
你正一分一分的，
時間呵！
我知道了，

九四

到結果的時候，
供在瓶裏——
人從枝上折下花兒來
九五

繁——星

却對着空枝歎息。

影兒落在水裏，
句兒落在心裏，
都一般無痕迹。

九六

是眞的麼？
人的心祇是一個琴匣，
不住的唱着反復的音調！

九七

九八

青年人！
信你自己罷！
只有你自己是真實的，
也只有你能創造你自己。

九九

我們是生在海舟上的嬰兒，
不知道
先從何處來，
要向何處去。

〜〜〜〜〜〜 晨——繁 〜〜〜〜〜〜

一〇〇

夜半——

宇宙的睡夢正濃呢！

獨醒的我，

可是夢中的人物？

一〇一

弟弟呵！

似乎我不應勉強着憨嬉的你，

來平分我孤寂的時間。

一〇二

〜〜〜 三十五 〜〜〜

星——繁

小小的花，
也想抬起頭來，
感謝春光的愛——
然而深厚的恩慈，
反使他終於沈默。
母親呵！
你是那春光麼？

一〇三

時間！
現在的我，
太對不住你麼？

星——繁

然而我所拋撇的是暫時的，
我所尋求的是永遠的。

一〇四
窗外人說桂花開了，
總引起清絕的回憶；
一年一度，
中秋節的前三日。

一〇五
燈呵！
感謝你忽然滅了；

繁——星

在不思索的揮寫裏，
替我勻出了思索的時間．

一〇六

老年人對小孩子說：
「流淚罷，
　歎息罷，
世界多麼無味呵！」
小孩子笑着說：
「饒恕我，
先生！
我不會設想我所未經過的事．」

繁——星

小孩子對老年人說：

「笑罷，

跳罷，

世界多麼有趣呵！」

老年人歎着說：

「原諒我，

孩子！

我不忍回憶我所已經過的事……」

一〇七

我的朋友！

七十五

星——繁

珍重些罷，
不要把心靈中的珠兒，
拋在難起波瀾的大海裏．

一〇八

心是冷的；
淚是熱的；
心——凝固了世界，
淚——溫柔了世界．

一〇九

漫天的思想，

星——繁

收合了來罷！
你的中心點，
你的結晶，
要作我的南針。

一一〇

青年人呵！
你要和老年人比起來，
就知道你的煩悶，
是溫柔的。

一一一

太單調了麼？
琴兒，
我原諒你！
你的絃，
本彈不出笛兒的聲音．

一一二

古人呵！
你已經欺哄了我，
不要引導我再欺哄後人．

一一三

星————繁

父親呵！
我怎樣的愛你，
也怎樣愛你的海。

一一四

「家」是什麼，
我不知道；
但煩悶——憂愁，
都在此中融化消滅，

一一五

筆在手裏，

句在心裏，
只是百無安頓處——
遠遠地却引起鐘聲！

一一六

海波不住的問着岩石，
岩石永久沉默着不曾回答；
然而他這沉默，
已經過百千萬回的思索。

一一七

小茅棚，

星——繁

菊花的頂子——
在那裏
要嵌出宇宙的獨立！

一一八

故鄉！
何堪遙望，
何時歸去呢？
白髮的祖父，
不在我們的園裏了！

一一九

三十六

謝謝你，
我的琴兒！
月明人靜中，
為我頌讚了自然。

一二〇

母親呵！
這零碎的篇兒，
你能看一看麼？
這些字，
在沒有我以前，
已隱藏在你的心懷裏。

繁——星

一二一

露珠，
寧可在深夜中，
和寒花作伴——
却不容那燦爛的朝陽，
給她絲毫暖意。

一二二

我的朋友！
真理是什麼，
感謝你指示我；

然而我的問題，
不容人來解答。

一二三

天上的玫瑰，
紅到夢魂裏；
天上的松枝，
青到夢魂裏；
天上的文字，
却寫不到夢魂裏。

一二四

星——繁

一二五

蜜蜂，
是能溶化的作家；
從百花裏吸出不同的香汁來，
釀成他獨創的甜蜜。

一二六

「缺憾」呵！
「完全」需要你，
在無數的你中，
襯託出他來。

蕩漾的，是小舟麼？

青翠的，是島山麼？

蔚藍的，是大海麼？

我的朋友！

重來的我，

何忍懷疑你，

只因我屢次受了夢兒的欺枉．

一二七

流星，

飛走天空，

可能有一秒時的凝望？

星——繁

然而這一瞥的光明，
巳長久遺留在人的心懷裏。

一二八

澎湃的海濤，
沉黑的山影——
夜巳深了，
不出去罷。

看呵！
一星燈火裏，
軍人的父親，
獨立在旗臺上。

九十六

繁——星

一二九

倘若世間沒有風和雨，

這枝上繁花，

又歸何處？

只惹得人心生煩厭，

一三〇

希望那無希望的事實，

解答那難解答的問題，

便是青年的自殺！

星————繁

一三一

大海呵！

那一顆星沒有光？

那一朵花沒有香？

那一次我的思潮裏

沒有你波濤的清響？

一三二

我的心呵！

你昨天告訴我，

世界是歡樂的，

今天又告訴我，

一三三

我的朋友！
未免太憂愁了麼？
「死」的泉水，
是筆尖下最後的一滴。

一三四

世界是失望的，
明天的言語，
·又是什麼？
教我如何相信你！

星——繁

粉紅的蓮花，
深綠的荷蓋，
縞白的衣裳！

幽欄獨倚．
明月下，
夏之夜；
怎能忘却？

一三五

你曾臨過大海麼？
你曾登過高山麼？
我的朋友！

在那裏，
是否只有寂寥，
只有「自然」無語
你的心中
是歡愉還是淒楚？

一三六

風雨後——
花兒的芬芳過去了，
花兒的顏色過去了，
果兒沉默的在枝上懸着．
花的價值，

〜〜〜〜〜〜〜星————繁〜〜〜〜〜〜〜

要因着果兒而定了！

反分却你眼底春光．

她只是虛無縹緲的，

拋棄你手裏幻想的花罷！

聰明人！

一三七

涼風起了！

夏之夜·

一三八

襟上蘭花氣息，

繞到夢魂深處。

一三九

雖然為著影兒相印：

我的朋友！

你儘可對模糊的鏡子，

不要照澄澈的深潭，

她是屬於自然的！

一四〇

小小的命運，

每日的轉移青年；

繁——星

命運是覺得有趣了，
然而青年多麼可憐呵！

一四一
思想，
只容心中遊漾．
剛拿起筆來，
神趣便飛去了，

一四二
一夜——
聽窗外風聲．

七十七

可知道寄身山巔？

燭影搖搖，
影兒怎的這般清冷？
似這般山河如墨，
只是無眠——

一四三
心潮向後湧著，
時間向前走著；
青年的煩悶，
便在這交流的旋渦裏。

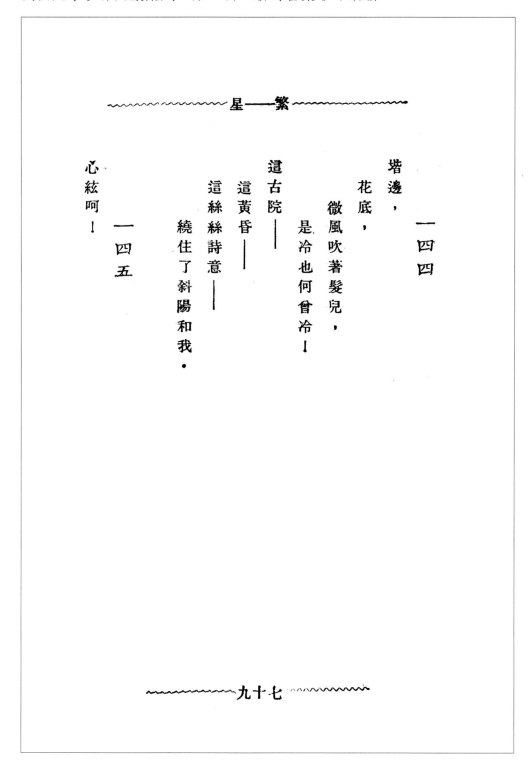

星——繁

一四四

墻邊，
花底，
微風吹著髮兒，
是冷也何曾冷——

逭古院——
這黃昏——
這絲絲詩意——
繞住了斜陽和我
。

一四五

心絃呵！

彈起來罷——
讓記憶的女神，
和著你調兒跳舞。

一四六

文字，
開了矯情的水閘；
聽同情的泉水，
深深地交流。

一四七

將來，

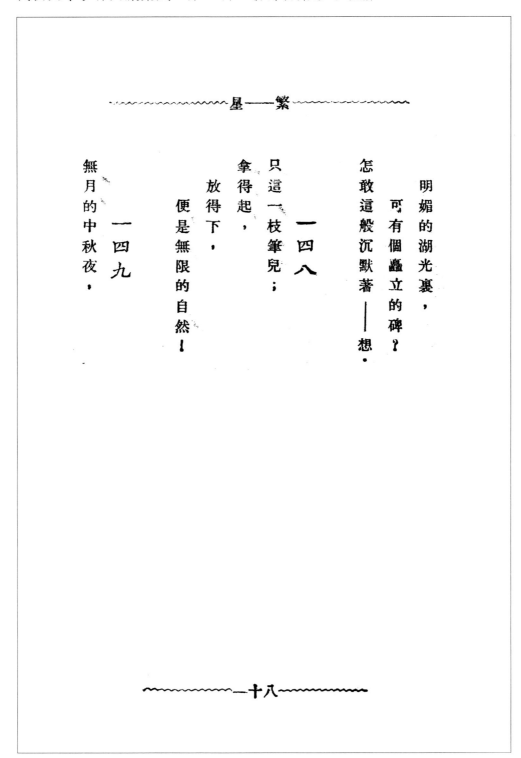

星——繁

明媚的湖光裏，
可有個矗立的碑？
怎敢這般沉默著——想·

一四八
只這一枝筆兒；
拿得起，
放得下，
便是無限的自然！

一四九
無月的中秋夜，

一十八

星——繁

隔著層雲，
隱著清光。
是怎樣的耐人尋味呢！

一五〇

獨坐——
山下溪雲起了。
更隔院斷續的清磬。
這樣黃昏，
這般微雨，
只做就些兒惆悵！

星——繁

智慧的女兒！
向前迎住罷，
「煩悶」來了，
要敗壞你永久的工程．

一五一

我的朋友！
不要任憑文字困苦你；
文字是人做的，
人不是文字做的！

一五二

一五三

是憐愛，

是溫柔，

是憂愁——

這仰天的慈像，

融化了我凍結的心泉。

一五四

總怕聽天外的翅聲——

小小的鳥呵！

羽翼長成，

你要飛向何處？

繁——星

白的花勝似綠的葉，
濃的酒不如淡的茶。

一五五

雨兒來了——
是江南天氣，
白霧濛濛；
清曉的江頭，

一五六

我只知道有蔚藍的海，
却原來還有碧綠的江，

星——繁

這是我父母之鄉——

因著世人的臨照
只可以拂拭鏡上的塵埃，
却不能增加月兒的光亮。

一五七

一五八

我的朋友！
雪花飛了，
我要寫你心裏的詩。

～～～～～～～～～星——繁～～～～～～～～～

一五九

母親呵！
天上的風雨來了，
鳥兒躲到他的巢裏；
心中的風雨來了，
我只躲到你的懷裏。

一六〇

聰明人！
文字是空洞的，
言語是虛僞的；
你要引導你的朋友，

只在你
片然流轉的行爲上—

一六一
大海的水，
是不能溫熱的；
孤傲的心，
是不能軟化的。

一六二
青松枝，
紅燈彩，

繁——星

和那柔曼的歌聲——

小弟弟！
感謝你付與我，
綏靜裏的光明．

一六三

片片的雲影，
也似零碎的思想麼？
然而難將記憶的本兒，
將他寫起．

一六四

星——繁

我的朋友！

別了，

我把最後一頁，

留與你們！

十九

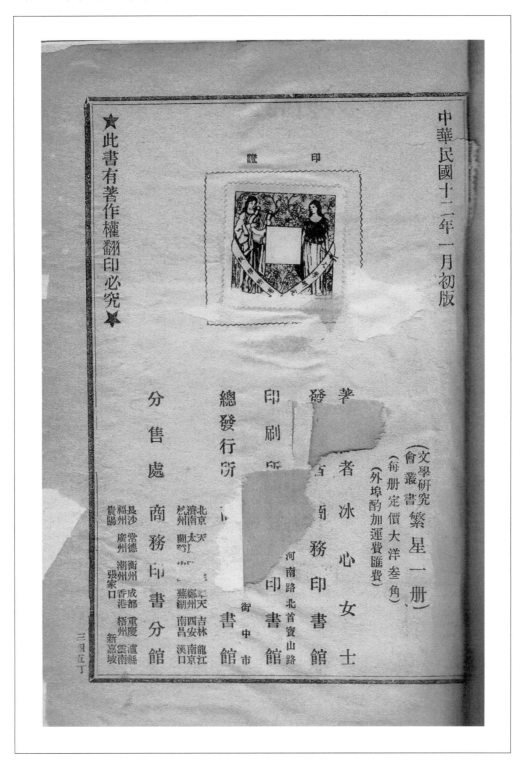

中華民國十二年一月初版

印證

（文學研究會叢書 繁星 一冊）

（每冊定價大洋叁角）

（外埠酌加運費匯費）

著　者　冰心女士

發　行　所　商務印書館　河南路北首寶山路

印　刷　所　印書館

總發行所　書館　中市　街

分售處　商務印書館分館

北京　天　濟南　太　杭州　蘭　天　鄭州　吉林　龍江

南昌　西安　南京　漢口　蕪湖州　湖州

長沙　常德　衢州　成都　重慶　盧縣　雲南

福州　廣州　潮州　香港　梧州　新嘉坡

貴陽　張家口

三四五丁

春水

冰心 著

新潮社（北京）一九二三年五月初版。原書六十四開，一四八頁；
三三至四二頁碼排重，實為一五八頁。

文藝叢書　周作人編

春水

冰心女士作

新潮社印

自序

「母親呵！
這零碎的篇兒，
你能看一看麼？
這些字——
在沒有我以前，
已隱藏在你的心懷裏・」
——錄繁星一二○——

(1)

十一，二一，一九二二·冰心·

(2)

春水

一

春水！

又是一年了，

還這般的微微吹動，

可以再照一個影兒麼？

(1)

春水溫靜的答謝我說：

『我的朋友！

我從來未曾留下一個影子，

不但對你是如此。』

二

四時綏綏的過去！

百花互相耳語說：

(2)

「我們都只是弱者！

甜香的夢
　輪流着做罷，

憔悴的杯
　也輪流着飲罷，

上帝原是這樣安排的呵！

三

（3）

四

青年人！
你不能像風般飛揚，
便應當像山般靜止，
浮雲似的
無力的生涯，
只做了詩人的資料呵！

（4）

蘆荻，
只伴着這黃波浪麼？
趁風兒吹到江南去罷！

五

一道小河
平平蕩蕩的流將下去，
只經過平沙萬里——

（5）

自由的，
沉寂的，
他沒有快樂的聲音。

一道小河
曲曲折折的流將下去，
只經過高山深谷——
險阻的，

（6）

他也沒有快樂的聲音。

挫折的，

我的朋友！

感謝你解答了

我久悶的問題，

平蕩而曲折的水流裏，

青年的快樂

（7）

在其中蕩漾着了～

六

詩人！
不要委屈了自然罷，
「美」的圖畫，
要淡淡的描呵！

（8）

七

一步一步的扶走——，
半隱的青紫的山峯
怎的這般高遠呢？

八

月呵！
什麼做成了你的簷殿呢？

(9)

深遠的天空裏，
只有你獨往獨來了．

九

倘若我能以達到，
上帝呵！
何處是你心的盡頭，
可能容我知道？
遠了！

遠了！
遠了！
我真是太微小了呵！

十

忽然了解是一夜的正中，
白日的心情呵！
不要侵到這境界裏來罷．

(11)

十一

南風吹了，
將春的微笑
從水國裏帶來了！

十二

絃聲近了，

(12)

瞽目者來了！

絃聲遠了，
無知的人的命運，
也跟了去麼？

十三

白蓮花！
清潔拘束了你了！

(13)

但也何妨讓同在水裏的紅蓮
來叅禮呢？

十四
自然喚着說：
「將你的筆尖兒
浸在我的海裏罷！
人類的心懷太枯燥了‧‧」

十五

沉默裏，

充滿了勝利者的凱歌！

十六

心呵！

什麼時候偹得煩亂呢？

(15)

為着宇宙，
為着眾生。

十七

紅牆衰草上的夕陽呵！
快些落下去罷，
你使許多的青年人頹老了！

(16)

十八

氷雪裏的梅花呵！
你占了春先了，
看遍地的小花
隨着你零星開放．

十九

詩人！

(17)

筆下珍重罷！
眾生的煩悶
要你來慰安呢．

二十
山頭獨立，
宇宙只一人占有了麼？

(18)

二一

只能提着壺兒
看她憔悴——
同情的水
從何灌溉呢？
她原是欄內的花呵！

二二

(19)

先驅者！
你要為眾生開闢前途呵，
束縶了你的心帶罷！

二三
平凡的池水——
臨照了夕陽，
便成金海！

(20)

二四

小島呵！

何處顯出你的挺拔呢？

無數的山峰

沉淪在海底了，

二五

吹就雪花朵朵
朔風也是溫柔的呵：

二六

我只是一個弱者！
光明的十字架
容我背上罷，
我要拋棄了性天裏

暗淡的星辰！

二七
大風起了！
秋蟲的鳴聲都息了！

二八
影兒欺哄了衆生了，

(23)

天以外——
月兒何曾圓缺？

二九
一般的碧綠，
只多些溫柔，
西湖呵！
你是海的小妹妹麼？

(24)

三十

天高了，
星辰落了，
曉風又與睡人爲難了！

三一

詩人！

自然命令着你呢，
　靜下心潮
　　聽他呼喚！

三二

漁舟歸來了，
看江上點點的紅燈呵！

(26)

三三

墻角的花！
你孤芳自賞時，
天地便小了．

三四

青年人！
從白茫茫的地上

(27)

找出同情來罷。

三五

嫩綠的葉兒
也似詩情麼？
顏色一番一番的濃了。

三六

(28)

老年人的「過去」，

青年人的「將來」，

在沉思裏

都是一樣呵！

三七

太空！

揭開你的星網，

(29)

容我瞻仰你光明的臉罷·

三八
秋深了！
樹葉兒穿上紅衣了！

三九
水向東流，

(30)

月向西落—

詩人，
你的心情
能將她們牽住了麼？

四十

黃昏—深夜
槐花下的狂風，

(31)

藤蘿上的密雨，

可能容我暫止你？

病的弟弟

剛剛睡濃了呵！

四一

小松樹！

容我伴你罷，

(32)

山上白雲深了！

四二

晚霞邊的孤帆，
在不自覺裏
完成了「自然」的圖畫。

四三

(33)

春何曾說話呢？
但她那偉大潛隱的力量，
已這般的
溫柔了世界了！

四四
旗兒舉正了，
聰明的先驅者呵！

(34)

四五

山有時傾了，
海有時湧了，
一個庸人的心志
却終古竪立！

四六

不解放的行為
造就了自由的思想！

四七
人在廊上，
書在膝上，
拂面的微風裏
知道春來了．

(36)

四八

螢兒自由的飛走了，

無力的殘荷呵！

四九

自然的微笑裏，

融化了

(37)

人類的怨嘆
便是詩了！
詩人自已
何用寫呢？

五十

五一

(38)

鷄聲—

鼓舞了別人了！

他自己可曾得到慰安麽？

五二

微倦的沉思裏

鴿兒的絃風

將詩情吹破了！

(39)

五三

春從微絲的小草裏
和青年說：
「我的光照臨着你了，
　　從枯冷的環境中
創造你有生命的人格罷！」

五四

白晝從那裏長了呢？
遠遠墻邊的樹影
都困憊得不移動了．

五五

野地裏的百合花，
只有自然

(41)

是你的朋友罷！

五六

狂風裏——
遠樹都糢糊了，
造物者塗抹了他黃昏的圖畫了．

五七

(42)

小蜘蛛！
停止你的工作罷，
只網住些兒塵土呵！

五八

冰似山般靜寂，
山似水般流動，
詩人可以如此的支配他麼？

(33)

五九

乘客呼喚著說：

「舵工！

小心霧裏的暗礁罷。」

舵工寧靜的微笑說：

「我知道那當行的水路．

這就彀了！」

六十

流星——

只在人類的天空裏是光明的；

他從黑暗中飛來，

又向黑暗中飛去，

生命也是這般的不分明麼？

六一

(35)

弟弟！
且喜又相見了，
我同憶中的你，
那能像這般清晰？

六二
我要挽那『過去』的年光，
但時間的經緯裏

(36)

已織上了「現在」的絲了！

六三

柳花飛時
燕子來了，
蘆花飛時
燕子又去了，
但她們是一樣的潔白呵！

(37)

六四

嬰兒，
在他顫動的啼聲中
有無限神秘的言語，
從最初的靈魂裏帶來
要告訴世界。

(38)

六五

只是一顆孤星罷了！

在無邊的黑暗裏

已寫盡了宇宙的寂寞．

六六

清絕——

是靜寂還是清明？

(39)

只有凝立的城墙。
　　被雪的楊柳，
冷又何妨？
白茫茫裏走入畫圖中罷！

六七

信仰將青年人
扶上「服從」的高塔以後，

便把『思想』的梯兒撤去了。

六八

當我自己在黑暗幽遠的道上
當心的慢慢走着，
我只傾聽着自己的足音。

六九

(41)

沉寂的淵底，
却照着
永遠紅豔的春花。

七十

玫瑰花的濃紅
在我眼前照耀，
伸手摘將下來。

(42)

她却萎謝在我的襟上，

我的心低低的安慰我說：

「你隔絕了她和『自然』的連結，

這濃紅便歸塵土；」

青年人！

留意你枯燥的靈魂。」

七一

當我浮雲般
自來自去的時候，
真覺得宇宙太寂寞了！

七二
鬱倦的春風
只送些「不常來」了！
城墻——

(44)

微綠的楊柳——
都隱沒在飛揚的塵土裏，
這也是人生斷片的煩悶呵！

七三

我的朋友！
倘若春花自由的開放時
無意中愁苦了你，

(45)

你當原諒他是受自然的指揮的

七四

在糢糊的世界中——
我忘記了最初的一句話，
也不知道最後的一句話。

七五

昨日遊湖，
今夜聽雨，
這兩點已落到我心中的湖上
滴出無數的疊紋了！

七六

寂寞增加鬱悶，
忙碌剷除煩惱—

(47)

我的朋友！
快樂在不停的工作裏！

七七
只坐在階邊說笑——
山上的樓臺
斜陽照着，
何曾不想一登臨呢？

清福不要一日享盡了阿！

七八

可什有過？

釣磯獨坐——

滿湖柔波

看人春泛

(49)

七九

我願意在離開世界以前

能低低的告訴他說：

『世界呵，

我澈底的了解你了！』

八十

當我看見綠葉又來的時候

(50)

我的心欣喜又感傷了，

勇敢的綠葉呵！

記否去秋黯淡的離別呢？

八一

我獨自

經過了青青的松柏，

上了層層的石階，

(51)

祈年殿
莊嚴地立在黃塵裏，
我——
　我只能深深的低首了！

八二
我的朋友！
不要讓春風欺哄了你，

花色原不如花香呵！

八三

微雨的山門下，

石階溼着——

只有獨立的我

和縷縷的遊雲，

這也是「同參密藏」麼？

(53)

八四

燈下拔了劍兒出鞘，
細看——凝想
只有一腔豪氣，
竟忘却
血珠鮮紅
淚珠晶白．

(54)

八五

我的朋友：

倘若你憶起這一湖春水，

要記住

他原不是溫柔，

只是這般冰冷。

(55)

八六

談笑着走下層階，
斜陽裏——
　　偶然後顧紅牆
　　斑瞻黃瓦，
霎時間我了解什麼是「舊國」了
我的心靈從此淒動了！

(56)

八七

青年人！
只是同麼麼？
這世界是不住的前進呵・

八八

春徘徊着來到
這莊嚴的壇上—

(57)

在無邊的清水裏，
只能把一絲春意，
交付與階隙裏
微小的草兒了．

八九
桃花無主的開了，
小草無主的青了，

世人真痴呵！
為何求自然的愛來慰安呢？

九十

聰明人！
在這漠漠的世界上，
只能提着「自信」的燈兒
進行在黑暗裏．

(59)

九一

對着幽豔的花兒凝望，
為着將來的果子
只得留他開在枝頭了！

九二

星兒！

(60)

世人凝注着你了，

導引他們的眼光

超出太空以外罷！

九三

一陣風來——

湖水向後流了。

石磯向前走了

迷網之中呵……
我——我胸中的海嶽呵！

九四

什麼是播種者的喜悅呢！
倚鋤望——
到處有青青之痕了！

(62)

九五

月兒

在天下的水鏡裏，

這邊光明，

那邊黯淡，

但在天上却只有一個。

九六

(63)

『什麼時候來賞雪呢？』

「來日罷，」

「來日」過去了．

『什麼時候來遊湖呢？』

「來年罷，」

「來年」過去了．

(64)

『什麼時候來工作呢？

來生麼？』

我微笑而又驚悚了！

九七

寥廓的黃昏，

何處着一個徬徨的我？

母親呵！

(65)

我只要歸依你，

心外的湖山

容我拋棄罷！

九八

我不會彈琴，

我只靜默的聽着；

我不會繪畫，

(66)

我只沉寂的看着；

我不會表現萬全的愛，

我只虔誠的禱告着。

九九

『幽蘭！

未免太寂寞了，

不願意要友伴麼？』

(67)

「我正尋求着呢！
但沒有別的花兒
肯開在空谷裏‧」

一〇〇
當青年人肩上的重擔
忽然卸去時，
他勇敢的心

(68)

便要因着寂寞而悲哀了！

一〇一

我的朋友！

最後的悲哀

還須禁受，

在地球粉碎的那一日，

幸福的女神，

(69)

要對絕望眾生
作末一次悽感的微笑，

一〇二

我的問題——
我的心
在光明中沉默不答．
我的夢

(70)

却在黑暗裏替我解明了！

一〇三

智慧的女兒！

在不住的抵抗裏，

你永遠不能了解

什麼是人類的同情。

(71)

一〇四

魚兒上來了，
水面上一個小蟲兒飄浮着——
在這小小的生死關頭·
我微弱的心
忽然顫動了！

一〇五

造物者——
倘若在永久的生命中
只容有一次極樂的應許，
我要至誠地求着：
「我在母親的懷裏，
母親在小舟裏，
小舟在月明的大海裏。」

一〇六

詩人從他的心中
滴出快樂和憂愁的血，
在不知不覺裏
已成了世界上同情的花。

一〇七

只是紙上縱橫的字——

縱橫的字，

那有詞句呢？

只重叠的墨跡裏

已留下當初凝想之痕了！

一○八

母親呵！

乳娘不應誣弄脆弱的我，

(75)

最初的開了

我心宮裏悲哀之門呢？

—你拭乾我現在的
微笑中的珠淚罷—

樓外丐婦求乞的悲聲
將我的心從睡夢中

(76)

重重的敲碎了！

她將我的母親帶去了，
母親不在搖籃邊了．

這是我第一次感出
世界的虛空呵！

一〇九

夜正長呢！

(77)

一一○

聰明人！

窗外果然滴瀝了——

數著雨聲罷！

只依舊是煩鬱麼？

能下些雨兒也好。

纖纖的月，
完滿在後頭呢！
姑且容淡淡的雲影
遮蔽着她罷。

一一一
小麻雀！
休飛進田隴裏。

(79)

正似彈機
正靜靜的等著你．

一一二
浪花愈大，
凝立的磐石
在沉默的持守裏，

(80)

快樂也愈大了．

一一三

星星——
只能白了青年人的髮，
不能灰了青年人的心．

一一四

(81)

我的朋友！
不要隨從我，
我的心靈之燈
只照着自己的前途呵！

一一五

兩行的紅燭燃起了──
堂下花陰裏，

(82)

隱着淺紅的袷衣

曇年的歡樂

容她同憶罷！

一一六

山上的樓窗不見了，

燈花爐也！

天風裏

(83)

危巖獨倚，
便小草也是伴侶了！

一一七
夢未終——
窗外日遲遲，
堂前又遇見伊！
牽牛花！

(84)

昨夜靈魂裏攀摘的悲哀

可曾身受麼？

一一八

紫藤蘿落在池上了，

花架下

長晝無人，

只有微風吹着葉兒響。

(85)

一一九

詩人的心靈，
只合顫動麼？
平凡的急管繁絃，
已催他低首了！

一二〇

(86)

「祖父千秋，
同祝一杯酒！」

明燈下，
笑聲裏，
面頰都暈紅了．

姊妹們！
何必當初？

(87)

到如今酒闌人散——
苦雨孤燈的晚上，
只添我些淒清的回憶呵！

一二一
世人呵！
暫時的花兒
原不配供在永久的瓶裏，

(88)

這稚弱的生機，
請你憐憫罷！

一二二

自然的話語
太深微了，
聰明人的心
却是如何的簡單呵！

(89)

一二三

幾天的微雨，

將春的消息隔絕了，

無聊裏——

幾朵枯花，

只拈來凝想，

原是去年的言語呵，

(90)

也可作今日的慰安麼？

黃昏了——
湖波欲睡了——
走不盡的長廊呵！

一二四

二五

(91)

修養的花兒
在寂靜中開過去了，
成功的果子
便要在光明裏結實．

一二六

虹兒！
你後悔麼？

(92)

雨後的天空
偶然出現，
世間兒女
已盡你的影兒在羅帶上了．

一二七

清曉——

靜悄悄地走入園裏，

(93)

萬有都在睡夢中呵！
除却零零的露珠
誰是伴侶呢？

一二八
海洋將心情深深的分斷了──
十字架下的嬰兒呵！
隔着清波

(94)

只能有泛泛的微笑麼？

一二九

朝陽下的鳥聲清囀着，
窗簾吹捲了，
又聽得葉兒細響——
無奈詩人的心靈呵！
不許他拿起筆兒

(95)

却依舊這般凝想・

一三〇
這時又是誰在海舟上呢？
水面黃昏
憑欄的凝眺，
山中的我
只合空想了！

(96)

一三一

青年人！
覺悟後的悲哀
只深深的將自已葬了，
原也是微小的人類呵！

一三二

(97)

花又在瓶裏了，
書又在手裏了，
但——
是今年的秋雨之夜！

一三三
只兩朵昨夜襟上的玉蘭，
便將曉風和朝陽

(98)

都深深地記在心裏了。

一三四

命運如同海風——
吹着青春的舟
　飄搖的，
　曲折的，
駛過了時光的海。

(99)

一三五

夢裏採擷的天花，
醒來不見了——
我的朋友！
人生原有些願望
只能永久的寄在幻想裏！

(100)

一三六

洞谷裏的小花
無力的開了，
又無力的謝了．
便是未曾領略過春光呵，
却也應曉得！

一三七

(101)

沉默着罷！
在這無窮的世界上，
弱小的我
原只當微笑
不應放言．

一三八
幢幢的人影，

(102)

沉沉的燭光——

都將永別的悲哀，

和人生之謎語，

刻在我最初的回憶裏了．

一三九

這奔湧的心潮

只索倩楞嚴來壅塞了．

(103)

無力的人呵！
究竟怎樣悟到「空不空」麼？

一四〇
遨遊於夢中罷！
在那裏
只有自由的言笑，
牽真的心情．

(104)

一四一

雨後——

隨着蛙聲，

荷盤上的水珠，

將衣裳濺溼了．

一四二

玫瑰開花了，

爲着無聊的風，

小小的水邊

竟不想再去了．

詩人的生涯

只終於寂寞麼？

一
四
三

(106)

揭開自然的簾兒罷！
藝術的嬰兒，
正臥在眞理的娘懷裏。

一四四

詩人也只是空寫罷了！
一點心靈——
何曾安慰到

(107)

雨聲裏痛苦的征人？

一四五
我的心開始顫動了——
當我默默的
傲着樓窗
對着大海
自然無聲的謝我說：

(108)

「我承認我們是被愛的了．」

一四六

經驗的花
結了智慧的果，
智慧的果 悟
却包着煩惱的核！

(109)

一四七

綠陰下
沉思的坐着——
遊絲般的詩情呵！
迷濛的春光
剛將你抽出來，
葉底園丁的剪刀聲
又將你剪斷了．

(110)

一四八

謝謝你！
我的朋友！
這朵素心蘭
請你自己戴着罷・
我又何忍辭謝她？

(111)

但無論是玫瑰
　　是香蘭，
我都未曾放在髮兒上。

上帝呵！
即或是天陰陰地，
　　人寂寂地，
只要有一個靈魂

(112)

守着你嚴靜的清夜，
寂寞的悲哀，
便從宇宙中消滅了．

一五〇

岩下
緩緩的河流，
深深的樹影——

(113)

指點着
細語着
許多詩意
籠盖在月明中・

一五一

浪
花後
是誰蕩槳？

(114)

這縈聲
侵入我深思的圈兒裏了！

先驅者！

一五二

絕頂的危峯上
可曾放眼？
便是此身解脫，

(115)

也應念着山下

勞苦的衆生！

一五三

笠兒戴着·

牛兒騎着，

眉宇裏深思着——

小牧童！

(116)

一般的沐着大地上的春光呵，
完滿的無聲的讚揚，
詩人如何比得你？

一五四

柳條兒削成小槳，
蓮瓣兒造了扁舟——
容宇宙中小小的靈魂，

(117)

輕柔地泛在春海裏・

一五五

病後的樹陰
也比從前濃鬱了，
開花的枝頭
却有小小的果兒結着・
我們只是改個龐兒相見呵！

(118)

一五六

睡起——

廊上黃昏，
薄袖臨風；
庭院水般清，
心地鏡般明；
是畫意還是詩情？

(119)

一五七

姊姊！
清福便獨享了罷，
何須寄我些春泛的新詩？

心靈裏已是煩忙，
又添了未曾相識的湖山，

(120)

須來入夢．

一五八

先驅者！

前途認定了

切莫回頭！

一回頭——

靈魂裏潛藏的怯弱，

(121)

一五九

憑欄久

涼風漸生，

何處是天家？

真要乘風歸去！

要你停留。

(122)

看——
清冷的月
已化作一片光雲
輕輕地飛在海濤上．

一六〇
自然——
無聲的
看著
看著勞苦的詩人微笑：．

『想着罷！
寫着罷！
無限的莊嚴，
你可曾約略知道？』

詩人投筆了！
微小的悲哀
永久遺留在心坎裏了！

(124)

一六一

隔窗舉起杯兒來——
和你作別了，
原是清涼的水呵，
落花！
只當是甜香的酒罷。

(125)

一六二

崖壁陰陰處，

海波深深處，

垂着絲兒獨釣．

魚兒！

不來也好，

我已從蔚藍的水中

釣着詩趣了．

(126)

一六三

暮色蒼蒼——
遠村在前，
山門在後，
黃土的小道曲折着，
踽踽的我無心的走着。

(127)

宇宙昏昏——
表現在前，
消滅在後，
生命的小道曲折着，
踽踽的我不自主的走着。

一般的遙遠的前途呵！
抬頭見新月，

(128)

深深地起了
不可言說的感觸！

一六四

將離別——

舟影太分明，
四望江山青；
微微的雲呵！

(129)

怎只壓着黯黯的情緒，

不籠住如夢的歌聲？

一六五

我的朋友

坐下莫徘徊，

照影到水中，

累他遊魚驚起．

(180)

一六六

遙指峯尖上，
孤松崎立，
怎得倚着樹根看落日？

已近黃昏，
算着路途罷！

(131)

衣薄風寒，
不如休去。

一六七
綠水邊
幾雙遊鴨
幾個浣衣的女兒，
在詩人驢前

(132)

展開了一幅自然的圖畫。

一六八

朦朧的月下——
長廊靜院裏，
不是清麗破了岑寂，
便落花的聲音
也聽得見了。

(133)

一六九

未生的嬰兒，
從生命的球外
攀着「生」的窗戶看時，
已隱隱地望見了
對面的「死」的洞穴．

(134)

一七〇

為着斷送百萬生靈
不絕的砲聲，
嚴靜的夜裏，
凄然的將捉在手裏的燈蛾
放到窗外去了．

一七一

(135)

馬蹄過處，

蹴起如雲的塵土；

據鞍顧盼，

平野青青——

只留下無窮的悵惘罷了，

英雄夢那許詩人做？

一
七
二

(136)

開函時——
正席地坐在花下，
一陣涼風
將看完的幾張吹走了．
我只默默的望着，
聽他吹到墻隅，
慰悅的心情
也和這紙兒一樣的飛揚了！

(137)

一七三

明月下

綠葉如雲，

白衣如雪——

怎樣的感人呵！

叉況是別離之夜？

(138)

一七四

青年人！

珍重的描寫罷，

時間正翻着書頁，

請你着筆！

一七五

我懷疑的撒下種子去，

(139)

便閉了窗戶默想着 ·
我又懷疑的開了窗，
豈止萌芽？
這青青之痕
還滋蔓到他人的園地裏 ·

上帝呵！
感謝你「自然」的風雨！

(140)

一七六

戰塲上的小花呵！
讚美你最深的愛！
冒險的開在槍林彈雨中，
慰藉了新骨。

一七七

(141)

我的心忽然悲哀了！
昨夜夢見
獨自穿着冰綃之衣，
從洶湧的波濤中
渡過黑海。

一七八

微陰的階上，

(142)

明月！

一七九

詩人和你
一同感出寂寥了．

玫瑰落盡，

綠葉呵！

只坐着自己——

(148)

完成了你的淒清了！

銀光色的田野裏，
是誰隔着小溪
吹起悠揚之笛？

一八〇

嬰兒！
誰像他天眞的頌讚？

(144)

當他呢喃的
對着天末的晚霞・

無力的筆兒
眞當拋棄了・

一八一

襟上摘下花兒來，
匆匆裏

(145)

就算是別離的贈品罷！

馬已到門前了，
要不是窗內聽得她笑言，
錯過也
又幾時重見？

一八二

(146)

別了——
春水！
感謝你一春潺潺的細流，
帶去我許多意緒。

向你揮手了，
緩緩地流到人間去罷！

我要坐在泉源邊，

(147)

靜聽回響．

三，五——六，十四，一九二二

(148)

迴響

刊悮表

第五八首		第一行	
九三	四	冰懸	作水
一二〇	六	妹妹	姊妹
一四六	四	膼	惱
一六〇	二	看看	看著
一七六	四	茅	芽

文藝叢書

出版預告

一九二二年十二月付印
一九二三年五月出版

(2) 桃色的雲
愛羅先珂作・魯迅譯・童話劇
三幕

(3) 吶 喊
魯迅作・短篇小說苗篇・自序
一篇

(4) 我的華鬘
周作人譯・希臘英法日本詩歌
及小品三十餘篇

(5) 紡輪故事
法國孟代作・CF女士譯・童
話十四篇

新潮社啟

著作者　冰心女士

編 者　周作人

發行者　新潮社

印刷所　京華印書局

代售所　各大書坊

春水一册實價大洋三角
著者板權所有不許翻印

春水

冰心 著

新潮社（北京）一九二三年五月初版，北新書局（上海）一九二五
年八月再版。原書三十二開。

目　　　錄

（1）

（2）

春 水

一

春水！

　又是一年了，

　還這般的微微吹動，

可以再照一個影兒麼？

春水溫靜的答謝我說：

　"我的朋友！

　我從來未曾留下一個影子

　　不但對你是如此。"

二

四時緩緩的過去—

百花互相耳語說：

　"我們都只是弱者！

　甜香的夢

輪流着做罷，

憔悴的杯

也輪流着飲罷，

上帝原是這樣安排的呵！

三

青年人！

你不能像風般飛揚，

便應當像山般靜止，

浮雲似的

無力的生涯，

只做了詩人的資料呵！

四

蘆荻，

只伴着這黃波浪麼？

趁風兒吹到江南去罷！

(2)

五

一道小河
　平平蕩蕩的流將下去，
只經過平沙萬里——
　自由的，
　　沉寂的，
他沒有快樂的聲音．

一道小河
　曲曲折折的流將下去，
只經過高山深谷——
　險阻的，
　　挫折的，
他也沒有快樂的聲音．

我的朋友！
感謝你解答了
　我久悶的問題，

（3）

平蕩而曲折的水流裏，
　青年的快樂
　　在其中蕩漾着了！

六

詩人！
不要委屈了<u>自然</u>罷，
‘美’的圖畫，
　要淡淡的描呵！

七

一步一步的扶走——
　半隱的青紫的山峯
　怎的這般高遠呢？

八

月呵！
　什麼做成了你的尊嚴呢？

（4）

深遠的天空裏，
　　只有你獨往獨來了．

　　　　九
倘若我能以達到，
　　上帝呵！
何處是你心的盡頭，
　　可能容我知道？
遠了！
　　遠了！
　　　我真是太微小了呵！

　　　　十
忽然了解是一夜的正中，
白日的心情呵！
　　不要侵到這境界裏來罷．

(5)

十 一

南 風 吹 了 ，
　將 春 的 微 笑
　　從 水 國 裏 帶 來 了 ！

十 二

絃 聲 近 了 ，
　幹 目 者 來 了 ，
絃 聲 遠 了 ，
　無 知 的 人 的 命 運 ，
　　也 跟 了 去 麼 ？

十 三

白 蓮 花 ！
　清 潔 拘 束 了 你 了 ——
但 也 何 妨 讓 同 在 水 裏 的 紅 蓮
　來 參 禮 呢 ？

(6)

十四

自然喚着說：
　"將你的筆尖兒
　　浸在我的海裏罷！
　人類的心懷太枯燥了．"

十五

沉默裏，
　充滿了勝利者的凱歌！

十六

心呵！
　什麼時候值得煩亂呢？
　　為着宇宙，
　　為着眾生．

十七

紅牆衰草上的夕陽呵！

(7)

快些落下去罷，
　你使許多的青年人頹老了！

十八

冰雪裏的梅花呵！
　你占了春先了，
看遍地的小花
　隨着你零星開放．

十九

詩人！
　筆下珍重罷！
眾生的煩悶
　要你來慰安呢．

二十

山頭獨立，
　宇宙只一人占有了麼？

(8)

二一
只能提着壺兒
　　看她憔悴——
同情的水
　　從何灌漑呢？
　　她原是欄內的花呵！

二二
先驅者！
　　你要為眾生開闢前途呵，
　　束緊了你的心帶罷！

二三
平凡的池水——
　　臨照了夕陽，
　　便成金海！

(9)

二四

小島呵！

　何處顯出你的挺拔呢？

無數的山峯

　沉淪在海底了．

二五

吹就雪花朶朶

　朔風也是溫柔的呵：

二六

　我只是一個弱者！

光明的十字架

　容我背上罷，

　我要拋棄了性天裏

　暗淡的星辰！

（10）

二七

大風起了！

　　秋蟲的鳴聲都息了！

二八

影兒欺哄了眾生了，

　　天以外一

　　月兒何曾圓缺？

二九

一般的碧綠，

　　只多些溫柔，

西湖呵！

　　你是海的小妹妹麼？

三十

天高了，

　　星辰落了，

(11)

曉風又與睡人為難了！

三一

詩人！

自然命介着你呢，

靜下心潮

聽他呼喚！

三二

漁舟歸來了，

看江上點點的紅燈呵！

三三

牆角的花！

你孤芳自賞時，

天地便小了．

(12)

三四

青年人！
　　從白茫茫的地上
　　找出同情來罷．

三五

嫩綠的葉兒
　　也似詩情麼？
顏色一番一番的濃了，

三六

老年人的'過去'，
　　青年人的'將來'，
在沉思裏
　　都是一樣呵！

三七

太空！

（13）

揭開你的星網，

　容我瞻仰你光明的臉龐

　　　三八

秋深了！

　樹葉兒穿上紅衣了！

　　　三九

水向東流，

　月向西落一

詩人，

　你的心情

　　能將她們牽住了麼？

　　　四十

黃昏一深夜

　槐花下的狂風，

　　藤蘿上的蜜雨上，

(14)

可能容我暫止你？
病的弟弟
　剛剛睡濃了呵！

四一
小松樹！
　容我作你罷，
　山上白雲深了！

四二
晚霞邊的孤帆，
　在不自覺裏
　完成了‘自然’的圖畫．

四三
春何曾說話呢？
　但她那偉大潛隱的力量，
　　已這般的
　　　　　（15）

溫柔了世界了！

四四

旗兒舉正了，

聰明的先驅者呵！

四五

山有時傾了，

海有時湧了，

一個唐人的心志

却終古豎立！

四六

不解放的行為

造就了自由的思想！

四七

人在廊上，

（16）

書在膝上，
拂面的微風裏
　　知道春來了

四八
螢兒自由的飛走了，
　　無力的殘荷呵！

四九
自然的微笑裏，
　融化了
　　人類的怨嗔。

五十
何用寫呢？
　詩人自己
便是詩了！

（17）

五 一

鷄 聲 一

鼓 舞 了 別 人 了！

他 自 己 可 曾 得 到 慰 安 麼？

五 二

微 倦 的 沉 思 裏

鴿 兒 的 絃 風

將 詩 情 吹 破 了！

五 三

春 從 微 綠 的 小 草 裏

和 青 年 說：

"我 的 光 照 臨 着 你 了，

從 枯 冷 的 環 境 中

創 造 你 有 生 命 的 人 格 罷！"

（18）

五四

白晝從那裏長了呢？
　遠遠牆邊的樹影
　都困憊得不移動了．

五五

野地裏的百合花，
　只有自然
　是你的朋友罷！

五六

狂風裏——
　遠樹都模糊了，
　　造物者塗抹了他黃昏的圖畫了．

五七

小蜘蛛！
　停止你的工作罷，

(19)

只 網 住 些 兒 塵 土 呵 !

五 八

冰 似 山 般 靜 寂 ，

　　山 似 水 般 流 勁 ，

詩 人 可 以 如 此 的 支 配 他 麼 ?

五 九

乘 客 呼 喚 著 說 ：

　"舵 工 !

　　　小 心 霧 裏 的 暗 礁 罷 •"

舵 工 甯 靜 的 微 笑 說 ：

　"我 知 道 那 當 行 的 水 路 ，

　　　這 就 夠 了 !"

六 十

流 星 一

（20）

只在人類的天空裏是光明的；
他從黑暗中飛來，
又向黑暗中飛去，
生命也是這般的不分明麼？

六一

弟弟！
且喜又相見了，
我回憶中的你，
那能像這般清晰？

六二

我要挽那"過去"的年光，
但時間的經緯裏
已織上了"現在"的絲了！

六三

柳花飛時

(21)

　燕子來了，
蘆花飛時
　燕子又去了，
但她們是一樣的潔白呵！

　　　六四
嬰兒，
在他顫動的啼聲中
　有無限神秘的言語，
從最初的靈魂裏帶來
　要告訴世界．

　　　六五
只是一顆孤星罷了！
　在無邊的黑暗裏
　已寫盡了宇宙的寂寞．

(22)

六六

清絕一
是靜寂還是淸明？
　　只有凝立的城牆·
　　　被雪的楊柳，
　　冷又何妨？
白茫茫裏走入畫圖中罷！

六七

信仰將青年人
　　扶上"服從"的高塔以後，
　　便把"思想"的梯兒撤去了

六八

當我自己在黑暗幽遠的道上
　　一心的慢慢走着，
　　我只傾聽着自己的足音·

(23)

六九

沉寂的淵底，
　　却照着
　　　永遠紅豔的春花。

七十

玫瑰花的濃紅
　　在我眼前照耀，
伸手摘將下來。
　　她却萎謝在我的襟上
我的心低低的安慰我說：
"你隔絕了她和 "自然" 的連結
　　這濃紅便歸塵土；
　　青年人！
　　　留意你枯燥的靈魂。"

七一

當我浮雲般

（24）

自來自去的時候，

真覺得宇宙太寂寞了！

七二

鬱倦的春風

只送些“不情”來了！

城牆——

　微綠的楊柳——

　　都隱沒在飛揚的塵土裏

　　這也是人生斷片的煩悶呵！

七三

我的朋友！

　倘若春花自由的開放時，

　　無意中愁苦了你，

　你當原諒他是受自然的指揮的

七四

在模糊的世界中——

(25)

我忘記了最初的一句話，
也不知道最後的一句話。

七五

昨日遊湖，
今夜聽雨，
這兩點已落到我心中的湖上
滴出無數的疊紋了！

七六

寂寞增加鬱悶，
忙碌剗除煩惱——
我的朋友！
快樂在不停的工作裏！

七七

只坐在階邊說笑——
山上的樓臺

(26)

斜陽照着，
何曾不想一登臨呢？
清福不要一日享盡了呵！

七八
可曾有過？
釣磯獨坐——
滿湖柔波
看人春泛

七九
我願意在離開世界以前
能低低告訴他說：
"世界呵，
我澈底的了解你了！"

八十
當我看見綠葉又來的時候

(27)

我的心欣喜又感傷了，

勇敢的綠葉呵！

記否去秋黯淡的離別呢？

八一

我獨自

經過了青青的松柏，

上了層層的石階，

祈年殿

莊嚴地在黃慶裏，

我——

我只能深深的低首了！

八二

我的朋友！

不要讓春風欺哄了你，

花色原不如花香呵！

（28）

八三

微雨的山門下，
　石階濕着——
只有獨立的我
　和縷縷的遊雲，
這也是"同參密藏"麼？

八四

燈下拔了劍兒出鞘，
　細看一凝想
　只有一腔豪氣，
竟忘却
　血珠鮮紅
　淚珠晶白。

八五

我的朋友！
　倘若你憶起這一湖春水，

（29）

要記住

　　他原不是溫柔，

　　只是這般冰冷。

八六

談笑着走下層階，

斜陽裏一

　　偶然後顧紅牆

　　　前瞻黄瓦，

霎時間我了解什麼是"舊國"了

　　我的心靈從此淒動了！

八七

青年人！

　　只是囘顧麼？

　　這世界是不住的前進呵。

八八

（30）

到來着徊徘春
這莊嚴的壇上——
在無邊的清冷裏，
只能把一絲春意，
交付與階隙裏
微小的草兒了．

八九

桃花無主的開了，
小草無主的青了，
世人真痴呵！
為何求自然的愛來慰安呢？

九十

聰明人！
在這漠漠的世界上，
只能提着"自信"的燈兒
進行在黑暗裏．

(31)

九一

對着幽豔的花兒凝望，
　為着將來的果子
　只得留他開在枝頭了！

九二

星兒！
　世人凝注着你了，
導引他們的眼光
　超出太空以外罷！

九三

一陣風來—
　湖水向後流了
　　石磯向前走了
迷惘裏……
　我—我胸中的海嶽呵！

（32）

九四

什麼是播種者的喜悅呢！
　倚鋤望─
　到處有青青之痕了！

九五

月兒
在天下的水鏡裏，
　這邊光明，
　　那邊黯淡，
　但在天上卻只有一個．

九六

"什麼時候來賞雪呢？"
　'來日罷'，
　'來日'過去了．

"什麼時候來遊湖呢？"
（33）

‘來 年 罷，’

‘來 年’ 過 去 了．

“什 麼 時 候 來 工 作 呢 ？

來 生 麼 ？”

我 微 笑 而 又 驚 悚 了 ！

九 七

寥 廓 的 黃 昏 ，

何 處 著 一 個 徬 徨 的 我 ？

母 親 呵 ！

我 只 要 歸 依 你 ，

心 外 的 湖 山

容 我 拋 棄 罷 ！

九 八

我 不 會 彈 琴 ，

我 只 靜 默 的 聽 著 ；

我 不 會 繪 畫 ，

（34）

我只沉寂的看着；
我不會表現萬全的愛，
我只虔誠的禱告着．

九九

"幽蘭！
　未免太寂寞了，
　不願意要友作麼?"
"我正尋求着呢！
　但沒有別的花兒
　肯開在空谷裏．'

一○○

常青年人肩上的重擔
　忽然卸去時，
他勇敢的心
　便要因着寂寞而悲哀了！

(35)

我的朋友！
　最後的悲哀
　　還須禁受，
在地球粉碎的那一日，
　幸福的女神，
　　要對絕望眾生
作末一次悵感的微笑。

　　　一〇二
我的問題——
　我的心
　　在光明中沉默不答‧
我的夢
　却在黑暗裏替我解明了！

　　　一〇三
智慧的女兒！

（36）

在不住的抵抗裏，

你永遠不能了解

　什麽是人類的同情．

　　　　一〇四

魚兒上來了，

水面上一個小蟲兒飄浮着——

在這小小的生死關頭．

我微弱的心

　忽然顫動了！

　　　　一〇五

造物者——

　倘若在永久的生命中

　　只容有一次極樂的應許．

　　我要至誠地求着：

　　"我在母親的懷裏，

　　　母親在小舟裏，

　　　　（37）

小舟在月明的大海裏。″

一〇六

詩人從他的心中
　滴出快樂和憂愁的血，
在不知不覺裏
　已成了世界上同情的花。

一〇七

只是紙上縱橫的字——
　縱橫的字，
　　那有詞句呢？
　只重疊的墨跡裏
　　已留下當初凝想之痕了！

一〇八

母親呵！
　乳娘不應誣弄脆弱的我，

（38）

誰最初的開了，
我心宮裏悲哀之門呢？

一你拭乾我現在的
微笑中的淚珠罷一

樓外丐婦求乞的悲聲
　將我的心從睡夢中
　　重重的敲碎了！
她將我的母親帶去了，
　母親不在搖籃邊了·
這是我第一次感出
　世界的虛空呵！

一○九
夜正長呢！
　能下些雨兒也好·

（39）

窗外果然滿瀝了一
　　數着雨聲罷！
　　只依舊是煩鬱麼？

　　　　一一〇

聰明人！
　　纖纖的月，
　　　　完滿在後頭呢！
　　姑且容淡淡的雲影
　　　　遮蔽着她罷‧

　　　　一一一

小麻雀！
　　休飛進田隴裏‧
田隴裏，
　　遍地彈機
　　正靜靜的等著你‧

　　　　　（40）

浪　花　愈　大　，

　　凝　立　的　磐　石

　　在　沉　默　的　持　守　裏　，

　　　　快　樂　也　愈　大　了　・

一　一　三

星　星　一

　　只　能　白　了　青　年　人　的　髮

　　不　能　灰　了　青　年　人　的　心　・

一　一　四

我　的　朋　友　！

　　不　要　隨　從　我　，

我　的　心　靈　之　燈

　　只　照　自　己　的　前　途　呵　！

（41）

一一五

兩 行 的 紅 燭 燃 起 了 一

　堂 下 花 陰 裏 ，

　　隱 着 淺 紅 的 袷 衣

　昔 年 的 歡 樂

　　容 她 囬 憶 罷 ！

一一六

山 上 的 樓 窗 不 見 了 ，

　燈 花 爐 也 ！

天 風 裏

　危 岩 獨 倚 ，

　　便 小 草 也 是 伴 侶 了 ！

一一七

夢 未 終 一

　窗 外 日 遲 遲 ，

　　堂 前 又 遇 見 伊 ！

（42）

牽牛花！
　昨夜靈魂裏攀摘的悲哀
　可付身受麼？

一一八
紫藤蘿落在池上了，
花架下
　長晝無人，
只有微風吹着葉兒響。

一一九
詩人的心靈？
　只合顫動麼？
平凡的急管繁絃，
　已催他低首了！

一二〇
"祖父千秋，

(43)

同祝一杯酒！"

朋燈下，

　笑聲裏，

　　面頰都暈紅了！

妹姊們！

　何必當初？

　　到如今酒闌人散——

　　苦雨孤燈的晚上，

　　　只添我些凄淸的回憶呵！

一二一

世人呵！

　暫時的花兒

　　原不配供在永久的瓶裏，

　這稚弱的生機：

　　請你憐憫罷！

（41）

一二二

自然的話語
　　太深微了，
聰明人的心
　　却是如何的簡單呵！

一二三

幾天的微雨，
　　將春的消息隔絕了，
無聊裏——
　　幾朵枯花，
　　　只拈來凝想，
　　原是去年的言語呵，
　　也可作今日的慰安麼？

一二四

黃昏了——
　　湖波欲睡了——

　　　　　（45）

走不盡的長廊呵！

一二五

修養的花兒
　在寂靜中開過去了，
成功的果子
　便要在光明裏結實．

一二六

虹兒！
你後悔麼？
　雨後的天空
　　偶然出現，
　世間兒女
　已畫你的影兒在羅帶上了．

一二七

清曉－

(46)

静悄悄地走入園裏，
萬有都在睡夢中呵！
　除却零零的露珠
　　誰是伴侶呢？

一二八
海洋將心情深深的分斷了——
　十字架下的嬰兒呵！
隔着清波
　　只能有泛泛的微笑麼？

一二九
朝陽下的鳥聲清囀着，
　窗帘吹捲了，
　又聽得葉兒細響——
無奈詩人的心靈呵！
　不許他拿起筆兒
　　却依舊這般疑想。

(47)

一 三 〇

這 時 又 是 誰 在 海 舟 上 呢 ？

　水 面 黃 昏

　　憑 欄 的 凝 眺 ，

　山 中 的 我

　　只 合 空 想 了 ！

一 三 一

靑 年 人 ！

　覺 悟 後 的 悲 哀

　　只 深 深 的 將 自 己 葬 了 ，

　原 也 是 微 小 的 人 類 呵 ！

一 三 二

花 又 在 瓶 裏 了 ，

　書 又 在 手 裏 了 ，

但 一

(48)

是今年的秋雨之夜！

一三三
只兩朵昨夜襟上的玉蘭，
　便將曉風和朝陽
　都深深地記在心裏了。

一三四
命運如同海風一
吹着青春的舟
　飄搖的，
　　　曲折的，
　　　渡過了時光的海。

一三五
夢裏探擷的天花，
　醒來不見了——
我的朋友！

（49）

人生原有些願望！
只能永久的寄在幻想裏！

一三六

洞谷裏的小花
　無力的開了，
　　又無力的謝了‧
便是未曾領略過春光呵，
　却也應曉得！

一三七

沉默着罷！
　在這無窮的世界上，
弱小的我
　原只當微笑
　　不應放言‧

(50)

一三八

幢幢的人影，
　沉沉的燭光一
都將永別的悲哀，
　和人生之謎語，
　　剗在我最初的囘憶裏了·

一三九

這奔湧的心潮
　只索倩楞嚴來壅塞了·
無力的人呵！
　究竟曾悟到'空不空'麼？

一四〇

遨遊於夢中罷！
在那裏
　只有自由的言笑，
　　率眞的心情·

(51)

一四一

雨後——

　　隨着蛙聲，

荷盤上的水珠，

　　將衣裳濕溼了．

一四二

玫瑰開花了，

爲着無聊的風，

　　小小的水邊

　　　　竟不想再去了。

詩人的生涯

　　只終於寂寞麼？

一四三

揭開自然的簾兒罷！

　　藝術的嬰兒，

(52)

正臥在眞理的娘懷裏．

一四四
詩人也只是空寫罷了！
　一點心靈—
何曾安慰到
　　雨聲裏痛苦的征人？

一四五
我的心開始顫動了—
　　當我默默的
　　　敞着樓窗
　　　對着大海
自然無聲的謝我說：
　　"我承認我們是被愛的了．"

一四六
經驗的花

（53）

　　　　　結了智慧的果，
　　智慧的果
　　　　却包着煩惱的核！

　　　　　一四七
綠陰下
　　　沉思的坐着一
遊絲般的詩情呵！
迷濛的春光
　　　　剛將你抽出來，
　　　葉底園丁的剪刀聲
　　　　又將你剪斷了．

　　　　　一四八
謝謝你！
　　　我的朋友！
這朵素心蘭
　　　請你自己戴着罷．

　　　　　（54）

我又何忍辭謝她？

但無論是玫瑰

　　　　是香蘭，

我都未曾放在髮兒上．

上帝呵！

　　即或是天陰陰地，

　　　　　人寂寂地，

　　只要有一個靈魂

　　　　守著你嚴靜的清夜，

　　　　寂寞的悲哀，

　　　　　便從宇宙中消滅了．

　　　　一五〇

岩下

　　綏綏的河流，

　　　　深深的樹影—

　　　　(55)

指點着
　細語着，
許多詩意
　籠蓋在月明中．

一五一

浪花後
　是誰盪槳？
這槳聲
　侵入我深思的圈兒裏了！

一五二

先驅者！
　絕頂的危峯上
　　可什放眼？
　便是此身解脫，
　　也應念着山下
　　勞苦的衆生！

（56）

一五三

笠兒戴着，
　牛兒騎着，
　　眉宇裏深思着——
小牧童！
　一般的沐着大地上的春光呵，
　　完滿的無聲的讚揚，
　　詩人如何比得你？

一五四

柳條兒削成小槳，
　蓮瓣兒造了扁舟——
容宇宙中小小的靈魂，
　輕柔地泛在春海裏。

一五五

病後的樹陰

(57)

也 比 從 前 濃 鬱 了 ，

開 花 的 枝 頭

　却 有 小 小 的 果 兒 結 着 。

　我 們 只 是 改 個 麗 兒 相 見 呵 ！

　　一 五 六

睡 起 一

　廊 上 黃 昏 ，

　　薄 袖 臨 風 ；

　庭 院 水 般 淸 ，

　　心 地 鏡 般 明 ；

　是 畫 意 還 是 詩 情 ？

　　一 五 七

姊 姊 ！

　淸 福 便 獨 享 了 罷 ，

　何 須 寄 我 些 春 泛 的 新 詩 ？

（58）

心靈裏已是煩忙
　又添了未曾相識的湖山，
　　頻來入夢。

　　　一五八
先驅者！
　前途認定了
　切莫回頭！
一回頭——
　靈魂裏潛藏的怯弱，
　要你停留。

　　　一五九
憑欄久
　涼風漸生，
何處是天家？
　真要乘風歸去！

(59)

看一

清冷的月

已化作一片光雲

輕輕地飛在海濤上·

一六〇

自然無聲的

看着勞苦的詩人微笑

"想着罷！

寫着罷！

無限的莊嚴，

你可曾約略知道？"

詩人投筆了！

微小的悲哀

永久還留在心坎裏了！

(60)

一六一

隔窗舉起杯兒來一

落花！

　　和你作別了！

　　　　原是清涼的水呵

　　　只當是甜香的酒罷

一六二

崖壁陰陰處，

　　海波深深處，

　　　　垂着絲兒獨釣．

魚兒！

　　不來也好，

我已從蔚藍的水中

　　　釣着詩趣了．

一六三

暮色蒼蒼一

　　　　　（61）

遠村在前，
山門在後，
黃土的小道曲折着，
踽踽的我無心的走着．

宇宙昏昏——
表現在前，
消滅在後，
生命的小道曲折着，
踽踽的我不自主的走着．

一般的遙遠的前途啊！
抬頭見新月，
深深地起了
不可言說的感觸！

一六四

將離別一

(62)

舟影太分明·

四望江山青；

微微的雲呵！

　怎只壓着黯黯的情緒，

　　不籠住如夢的歌聲？

一六五

我的朋友

　坐下莫徘徊，

照影到水中，

　累他遊魚驚起。

一六六

遙指峯尖上，

　孤松峙立，

　怎得倚着樹根看落日？

已近黃昏，

（63）

算着路途艇！

衣薄風寒，

　不如休去・

　　　一六七

綠水邊

　幾雙遊鴨

　幾個浣衣的女兒，

在詩人驢前

　展開了一幅自然的圖畫・

　　　一六八

矓朧的月下一

　長廊靜院裏，

不是清磬破了岑寂，

　便落花的聲音，

　　也聽得見了・

(64)

一六九

未生的嬰兒，
　　從生命的球外
　　攀着‘生’的窗戶看時，
已隱隱地望見了
　　對面‘死’的洞穴．

一七〇

為着斷送百萬生靈
　　不絕的砲聲，
嚴靜的夜裏，
　　淒然的將捉在手裏的燈蛾
　　放到窗外去了．

一七一

馬蹄過處，
　　蹴起如雲的塵土；
攬鞍顧盼，

(65)

　　平野青青—

只留下無窮的恨惘罷了，

　　英雄夢那許詩人做？

　　　　一七二

開函時—

　　正席地坐在花下，

一陣涼風

　　將看完的幾張吹走了．

我只默默的望着，

　　聽他吹到牆隅，

懽悅的心情

　　也和這紙兒一樣的飛揚了！

　　　　一七三

明月下

　　綠葉如雲，

　　白衣如雪—

　　　　　（66）

怎樣的感人呵！
　又況是別離之夜？

一七四

青年人！
　珍重的描寫罷，
時間正翻着書頁，
　請你着筆！

一七五

我懷疑的撒下種子去，
　便閉了窗戶默想着．
我又懷疑的開了窗，
　豈止萌芽？
　這青青之痕
　　還滋蔓到他人的園地裏．

上帝呵！

(67)

感謝你'自然'的風雨！

一七六

戰場上的小花呵！
　讚美你最深的愛！
冒險的開在槍林彈雨中：
　慰藉了新骨。

一七七

我的心忽然悲哀了！
　昨夜夢見
　　獨自穿着冰綃之衣，
　從洶湧的波濤中
　　渡過黑海。

一七八

微陰的階上，
　只坐着自己一

(68)

綠葉呵！
　玫瑰落盡，
詩人和你．
　一同感出寂寥了．

　　　一七九
明月！
　完成了你的淒清了！
銀光的田野裏，
　是誰隔着小溪
　吹起悠揚之笛？

　　　一八〇
嬰兒！
誰像他天眞的頌讚？
　當他呢喃的
　　對着天末的晚霞．
　無力的筆兒

(69)

真常拋棄了。

— 八一 —

襟上摘下花兒來，
匆匆裏
就算是別離的贈品罷！

馬已到門前了，
要不是窗內聽得她笑言，
錯過也
又幾時重見？

— 八二 —

別了！
春水！
感謝你一春潺潺的細流，
帶去我許多意緒。

向你揮手了，

(70)

緩緩地流到人間去罷

我要坐在泉源邊，

靜聽回響．

三，五——六，十四，一九二二．

(71)

迎 神 曲

一

靈臺上，
燃起星星微火，
黝黯地低頭膜拜。

二

問"來從何處來？
去向何方去？
這無收束的塵寰，
可有衆生歸路？"

三

空華影落，
萬籟無聲，
隱隱地湧現了一
是寶蓋珠幢，

(72)

是金身法相.

四

"'只爲問'來從何處來,
去向何方去'
這輪轉的塵寰,
便沒了衆生歸路!"

五

"世界上
來路便是歸途,
歸途也成來路。"

送神曲

一

"世界上
來路便是歸途,

(73)

歸 途 也 成 來 路 。"

二

這 輪 轉 的 塵 寰 ,
何 用 問
來 從 何 處 來 ,
去 向 何 方 去 ？'

三

更 何 處 有 寶 蓋 珠 幢 ,
又 何 處 是 金 身 法 相 ？
卽 我 ―
也 卽 是 衆 生 。

四

來 從 去 處 來 。
去 向 來 處 去
向 那 來 的 地 方

(74)

尋 將 去 路！

五

靈 臺 上，

燃 着 了 常 明 燈 火，

深 深 地 低 頭 膜 拜。

　　無 月 的 中 秋 夜，一 九 二 一．

一朵白薔薇

怎麼獨自站在河邊上？這朦朧的
　　天色，是黎明還是黃昏？

何處尋問，只覺得眼前盡是花的
　　世界。中間雜着幾朵白薔薇。

她來了，她從山上下來了。靚妝
　　着，彷彿是一身縞白，手裏抱
　　着一大束花。

我說"你來給你一朵白薔薇，好簪
　　在襟上"。她微笑說了一句話，

(75)

只是聽不見。然而似乎我竟沒
有摘，她也沒有戴，依舊抱着
花兒，向前走了。
攪頭望她去路，只見得兩旁開滿
了花，垂滿了花，落滿了花。

我想白花終比紅花好；然而為何
我竟沒有摘，她也竟沒有戴？
前路是什麼地方，為何不隨她走
去？

都過去了花也隱了夢也醒了，
前路如何，便摘也何曾戴？

冰神

白茫茫的地上，自己放着風箏，
一絲風意都沒有一
颺起來了，愈飛愈緊，却依舊是

(76)

無風。擡頭望，前面矗立着一
　座玲瓏照耀的冰山；峯尖上莊
　嚴地站着一位女神。眉目看不
　分明，衣裳看不分明，只一隻
　手擧着風箏，一隻手指着天上
——

天上是繁星錯落如珠網——

一轉身忽驚西山月落涼階上，照
　着樹兒，射着草兒。
莫是她頂上的圓光，化作清輝
　千縷？

是真？是夢？我只深深地記着：
是冰山，是女神，是指着天上——
·一九二一，八，二十追記。

(77)

病 的 詩 人

詩 人 病 了 －－
詩 人 的 情 緒
更 適 合 於 詩 了 ，
然 而 詩 人 寫 不 出 ．

菊 花 的 影 兒 在 地 ，
藤 椅 兒 背 着 陽 光 。
書 落 在 地 上 了 ——
不 想 拾 起 來 ，
只 任 他 微 風 吹 捲 。

窗 兒 開 着 ，
帘 兒 颭 着 ，
人 兒 無 聊 ；
只 有 ：
書 是 舊 的 ，

(78)

花 是 新 的 。

鏡 裏 照 着 的 ，
是 消 瘦 的 麂 兒 ；
手 裏 拿 著 的 ，
是 沉 重 的 筆 兒 。

凝 澀 的 詩 意 ，
却 含 着 清 新 ；
憔 悴 的 詩 人 ，
却 感 着 愉 快 。

詩 人 病 了 ——
詩 人 的 情 緒
更 適 合 於 詩 了 ，
然 而 詩 人 寫 不 出 ！

(79)

病 的 詩 人 （二）

却 怪 窗 外 天 色 ！

怎 的 這 般 陰 沈 ！

天 也 似 詩 人 ，

只 這 樣 黯 寂 消 沈 。

一 般 的 ：

　釀 詩 未 成 ，

　釀 雪 未 成 。

牆 外 的 枯 枝 ，

屋 上 的 爐 煙 ，

和 着 隱 隱 的 市 聲 ，

悠 悠 的 返 去 了 幾 許 光 陰 ？

詩 人 病 了 ——

却 怪 他 窗 外 天 色

怎 的 這 般 陰 沈 ！

十 二 ， 五 ， 一 九 二 一 ，

（80）

詩 的 女 神

她在窗外低低的叩着呢！
簾兒吹動了——
　　窗內
　　窗外
在這一刹那頃，
忽地都成了無邊的靜寂。

看呵！
是這般的
　　滿蘊着溫柔，
　　微帶着憂愁，
欲語又停留。

夜已深了，
人已靜了，
屋裏只有花和我，
　　　　（81）

請進來罷！

只這般的凝立着麼？
量我怎配迎接你，
詩的女神呵！
還求你只這般的，
經過無數深思的人的窗外。
　　　　十二，九，一九二一。

病 的 詩 人 （三）

詩人病了——
感謝病的女神，
替他和困人的紙筆，
斷絕了無謂的交情。

牀邊——
只矮矮的小几，

(82)

朵朵的紅花，
和曲曲的畫屏，
幾日的圍住性靈。
長日如年，
嚴靜裏——
只傾聽窗外葉兒細響，
又低誦幾家詞句：
"庭院深深……"

是誰遊絲般吹弄？
又是誰流水般低唱？
輕輕地起來，
撩起窗帘
放進清音。

只是簫聲宛轉，
只是詩情游漾，
奈筆兒拋了，

(83)

紙兒窠了，
只好聽——聽。

只是一聲聲，
何補空冥？
感謝病的女神，
替他和弄人的紙筆，
斬絕了無謂的交情。
　　　　四，二十七，一九二二。

謝思想

只能說一聲辜負你，
思想呵！
　任你怒潮般捲來，
　　又輕烟般散去。

沉思中，
凝眸裏，

只這一束殘花，
　　几張碎紙，
都深深的受了你的贈與。

也曾几度思量過，
難道是時間不容？
難道是我自己心情倦惰？
　　便聽憑你
　　　乘興而來，
　　　無聊又去。

還是你充滿了
　　無邊微妙，
　　無限神奇；
只答我心中膜拜。
難役使世間的語言文字
　　說與旁人？

(85)

思想呵！

無可奈何，

只能辜負你，

這枝不聽命的筆兒

難將你我連在一起。

　　　　十二，二九，一九二一・

假如我是個作家

假如我是個作家

我只願我的作品

　入到他人腦中的時候，

　平常的不在意的沒有一句話說，

流水般過去了，

不值得讚揚

　更不屑得評駁—

　然而在他的生活中

　痛苦或快樂臨到時，

他便模糊的想起

（86）

好像這光景曾在許多的文字裏描
　　寫過，
這時我便要流下快樂之淚了！

假如我是個作家，
我只願我的作品
　　被一切友伴和同時有學問的人
　　輕蔑一微笑，
然而在孩子庸夫和愚拙的婦人，
　　他們聽過之後，
　　　　慢慢的低頭，
　　　　深深的思索：
我聽得見'同情'在他們心中鼓盪，
這時我便要流下快樂之淚了！

假如我是個作家，
我只願我的作品
　　在世界中無有聲息，

(87)

沒有人批評

更沒有人注意，

只有我自己在寂寥的白日或深夜，

對着明明的月

絲絲的雨

颯颯的風

低聲念誦時，

能以再現几幅不糢糊的圖畫，

這時我便要流下快樂之淚了！

假如我是個作家，

我只願我的作品

在人間不露光芒

沒個人聽聞，

沒個人念誦，

只我自己憂愁，悅樂，

或是獨對無限的自然

能以自由抒寫，

(88)

當我積壓的思想發落到紙上，
這時，我便要流下快樂之淚了！
一，一八，一九二二。

「將來」的女神

我抬頭瞥見了
　你桂花的冠子，
　　雪白的羽衣
　你胸前的瓔珞
　　是心血般鮮紅，
　　　淚珠般潔白，
　你翅兒只管遨翔，
　　琴兒只管彈奏，
　你怎的只是向前飛
　　不肯一回顧？

你的光明的臉

(89)

也許是歡樂，

也許是黯淡；

也許是微笑，

也許是含愁；

只介我迷糊恍惚——

你怎的只是向前飛

不肯一囘顧？

將來——

是海角？

是天涯？

天上——人間？

都是你遙遙導引！

你怎的只是向前飛

不肯一囘顧？

看—

只有飄飄雲髮，

琤琤琴韻，

(90)

颯颯天風；

如何——如何？

你怎的只管向前飛

不肯一回顧？

一，二十六，一九二二。

嚮往

（爲詩人歌德九十年紀念作）

萬有都蘊藏着上帝，

萬有都表現着上帝；

你的濃紅的信仰之華，

可能容她采擷麼？

殷肅，

　溫柔，

　　　自然海中的傲遊，

詩人的生活，

　　不應當這樣麼？

(91)

在'真理'和'自然'裏，

　　挽着藝術的嬰兒

　　活潑自由的走光明的道路。

叫一叫

　　天使的進行歌聲起了！

先驅者！

　　可能慢些走？

時代之欄的內外，

　　都是自然的寵兒呵，

在愛親的愛裏

　　互相祝福罷！

　　　　二，四，一九二二。

晚禱

濃濃的樹影

　　做成帳幕，

絨絨的草坡
　便是祭壇－－
慈憐的月
穿過密葉，
照見了虔誠靜寂的面龐。

四無人聲，
嚴靜的天空下，
我深深叩拜－
萬能的上帝！
求你絲絲的緌了明月的光輝，
作我智慧的衣裳，
　莊嚴的冠冕，
我要穿着他
溫柔地沉靜地酬應衆生．

煩惱和困難，
在的你恩光中，

(93)

一齊拋棄；
只剛强自己
　　保守自己，
永遠在你座前
作聖潔的女兒，
　　光明的使者，
讚美大靈！

四無人聲，
嚴靜的天空下，
只慈憐的月
照着虔誠靜寂的面龐。
　　　　五，十二，一九二二。

晚禱（二）

我抬頭看見繁星閃爍着一
秋風冷冷的和我說：
"這是造物者點點光明的眼淚，

（94）

為着宇宙的晦冥！"

我抬頭看見繁星閃爍着——
枯葉戚戚的和我說：
"這是造物者點點光明的眼淚，
為着人物的銷沈！"
造物者！
　我不聽秋風，

　　不睬枯葉，

　這一星星

　　點在太空，

　　指示了你威權的邊際，

　　表現了你慈愛的涯涘。

　人物—宇宙，

　　銷沈也罷，

　　晦冥也罷，

我只仰望着這點點的光明！
　　十，二十三夜，一九二二。

(95)

不忍

我　用　小　杖
　　將　網　兒　挑　破　了　，
辛　苦　的　工　程
一　霎　時　便　拆　毀　了　。

我　用　重　簾
　　將　燈　兒　遮　蔽　了　，
窗　外　的　光　明
　　一　霎　時　便　隱　沒　了　。

我　用　微　火
　　將　新　寫　的　字　兒　燒　燬　了　，
幽　深　的　詩　情
　　一　霎　時　便　消　滅　了　。

(96)

我用冰冷的水兒
　　將花上的落葉沖走了，
無聊的慰安
　　一霎時便洗蕩了。

我用矯決的詞兒
　　將月下的印象掩沒了，
自然的牽縈
　　一霎時便斬絕了。

這些都是'不忍'呵——
上帝！
　　在渺茫的生命道上，
　　除了'不忍'，
　　我對衆生
更不能有別的慰籍。
　　　　七，十一，一九二二。

(97)

哀 詞

他 的 周 圍 只 有'血'與'淚'──
　人 們 舉 着'需 要'的 旗 子
　　逼 他 寫'光'和'愛'，
　他 只 得 欲 哭 的 笑 了。

他 的 周 圍 只 有'光'和'愛'，
　人 們 舉 着'需 要'的 旗 子，
　　逼 他 寫'血'與'淚'，
　他 只 得 欲 哭 的 哭 了。

欲 哭 的 笑，
　欲 笑 的 哭 ──
需 要 的 旗 兒 舉 起 了，
　眞 實 已 從 世 界 上 消 滅 了！
　　　　八，七，一九二二。

(98)

十年

她寄我一封信，
　　提到了江南晚風天，
她說"只是佳景
　　　沒有良朋！"

八個字中，
我想着江波，
　　想着晚霞，
　　想著獨立的人影。
這裏是
　　只有悶雨，
　　只有黃塵，
　　只有窗外靜沉沉的天。

我的朋友！
　　誰說人生似浮萍？

(99)

　暫　住………

　　一暫住又已是十年了！

　　　八，十九，一九二二。

使　命

一個春日的早晨——

　流水般的車上：

　細雨灑着古墻，

　　灑着楊柳，

我微微的覺悟了我攜帶的使命。

一個夏日的黃昏——

　止水般的院裏：

　晚霞照着竹籬，

　　照着槐樹，

我深深的承認了我攜帶的使命。

覺悟——承認，

　　　　（100）

試回首！

　是歡喜還是惆悵？

已是兩年以後了！

　八，二二，一九二二。

紀事

　　―贈小弟冰季―

右手握着彈弓，

　　左手弄着泥丸――

背倚着柱子

　　兩足平直地坐着。

仰望天空的深黑的雙眼，

　　是偵伺着花架上

　　　偷啄葡萄的烏鴉罷？

然而殺機裏却充滿着

　　熱愛的神情！

我從窗內忽然望見了，

　　　　（101）

我不覺凝住了！
　愛憐的眼淚
　　已流到頰上了！
　　　　八，二二，一九二二。

岐路

今天沒有岐路，
　也不容有岐路了——
上帝！
　不安和疑難都融作
　感恩的眼淚，
獻在你的座前了！
　　　　九，一，一九二二。

中秋前三日

浸人的寒光，
　撲人的清香——
照見我們絨樣的衣裳，

（102）

微微地引起了
 絨樣的悲傷。

我的朋友！
 正是"花好月圓人壽，"
 何來惆悵，
便是將來離別，
 今夕何夕，
 也須暫忘！
 九，二夜，一九二二。

十一月十一夜

嚴靜的夜裏——
 猛聽得遠處
 隆——隆，
是那裏築墻呢！

呀一是十一月十一夜……
 (103)

想着砲聲中

　　燈彩下的狂舞酣歌，

我的心漸漸的

　　沉――沉。

上帝，憐憫罷！

　　他們正築牆呢！

這一聲聲中

　　牆基堅固了。

一塊一塊記念的磚兒

　　向上疊積了，

和愛的世界區分了！

上帝，憐憫罷。

　　他們正築牆呢！

　　十一，十一夜，一九二二。

安　慰（一）

我曾夢見自己是一個畸零人，

·(104)

醒時猶自嗚咽。
因着遺留的深重的悲哀，
　這一天中
　我憐惜遍了人間的孤獨者·

我曾夢見自己是一個畸零人，
　醒時猶自嗚咽。
因着相形的濃厚的快樂，
　這一天中
　我更覺出了四圍的親愛。

母親！
當我坐在你的枕邊
　和你說着這些時，
雖然是你的眼裏滿了淚，
　　我的眼裏滿了淚呵——
我們却都感謝了

（105）·

造物者無窮的安慰！

九，二四晨，一九二二，

安 慰(二)

二十年的海上，

我呼吸着海風——

我的女兒！

你文字中

怎能不帶些海的氣息！

單調的憂慚，

都歡喜的消融在

這一句話裏了！

十，六，一九二二。

解 脫

月明如水，

樹下徘徊——

(106)

沉思——沉思。

沉思裏拾起枯枝；

　慨然的鞭自己

　　地上月中的影子。

'人生'——

　世人都當他是一個夢，

　　且是一個不分明的夢，

　不分明裏要他太分明，

　我的朋友，

　　一生的憂患

　　　從今起了！

珍惜她如雪的白衣，

　却仍須渡過

　　浧無邊的慾海。

我的朋友！

　世界既不捨棄你，

（107）

何如你捨棄了世界？

讓她鶴一般的獨立，
　雲一般的自由，
　　水一般的清靜．
人生縱是一個夢呵，
　　也做了一個分明的夢！

沉思——沉思，
　沉思裏抛了枯枝，
悠然的看自己
　　地上月中的影子，
　　二，五夜，一九二三。

致詞

假如我走了
　慧星般的走了——
母親！

（108）

我 的 太 陽 !

七 十 年 後 我 再 回 來 ,

　我 到 軌 道 的 中 心

　　五 色 重 輪 的 你 時 ,

你 還 認 得 這 一 點 小 小 的 光 明 麼 ?

假 如 我 … 了 ,

　落 花 般 的 … 了 ——

母 親 !

　我 的 故 枝 !

明 年 春 日 我 又 回 來 ,

　到 我 生 命 的 根 源

　　參 天 凌 雲 的 你 時 ,

你 還 認 得 這 一 陣 微 微 的 芬 芳 麼 ?

她 凝 然 … 含 淚 的 望 着 我 ,

　無 語 — 無 語 ,

母 親 !

　　　　(109)

致詞如此，

累你淒楚——

萬全之愛無別離，

萬全之愛無生死！

二，四，一九二三。

信誓

文藝好像射獵的女神，

　我是勇猛的獅子。

在我逾山越嶺，

　尋覓前途的時候，

她——當胸一箭！

在她躊躇滿志的笑裏，

我從萬丈的懸崖上，

　倏然奔墜於

　　她的光華輕軟的羅網之中。

文藝好像遊牧的仙子，

(110)

我是溫善的羔羊。
甘泉潺潺的流着，
青草遍地的長着；
她慈憐的眼光俯視着，
我恬靜無聲地
俯伏在她杖竿之下。

文藝好像海的女神，
我是忠誠的舟子，
寄一葉的生涯於
她起伏不定的波濤之上。
她的笑靨
引導了我的前途，
她的怒顰
指示了我的歸路。

文藝好像花的仙子，
我是勤慎的園丁。

(111)

她 的 精 神 由 我 護 持 ，

　　她 的 心 言 我 須 聽 取 ；

深 夜 —— 清 晨 ，

　　爲 她 關 心 着

　　　　無 情 的 風 雨 。

徬 徨 裏 ——

　　前 無 古 人 ，

　　後 無 來 者 ；

所 言 止 此

　　"爲 主 爲 奴 相 終 始 ！"

　　　　三 ，十 四 ， 一.九 二 三 。

紙 船 _{寄 母 親}

我 從 不 肯 妄 棄 了 一 張 紙 ，

　　總 是 留 着 —— 留 着 ，

疊 成 一 隻 一 隻 很 小 的 船 兒 ，

　　從 舟 上 拋 下 在 海 裏 。

（112）

有的被天風吹捲到舟中的窗裏，
　　有的被海浪打濕，沾在船頭上．
我仍是不灰心的每天的疊着，
　　總希望有一隻能流到我要他到
　　的地方去。

母親，倘若你夢中看見一隻很小
　　的白船兒，
　　不要驚訝他無端入夢。
這是你至愛的女兒含着淚疊的，
　　萬水千山，求他載着她的愛和
　　　悲哀歸去。
　　八，二十七，一九二三，太平洋舟中

鄉愁 示 H H 女士

我們都是小孩子，
　　偶然在海舟上遇見了。

（113）

談笑的資料竭了之後，
　索然的對坐，
　無言的各起了愁鄉。

記否十五之夜，
　滿月的銀光
　　射在無邊的海上，
琴絃徐徐的撥動了，
　生澀的不動人的調子，
天風裏，
　居然引起了無限的凄哀？

記否十七之晨，
　濃霧塞窗，
　　冷寂無聊，
角兒裏相挨的坐着——
不干己的悲劇之一幕，
　曼聲低誦的時候，

（114）

竟引起你清淚沾裳？

"你們真是小孩子，
　　已行至此，
　　何如作壯語？"

我的朋友！
前途只閃爍着不定的星光
　　後顧卻望見了飄揚的愛幟。
爲着故鄉，
　　我們原只是小孩子！
　　　不能作壯語，
　　　不忍作壯語，
　　也不肯作壯語了！
　　八，二十七，一九二三，太平洋舟中。

遠道

"青青河邊草，

（115）

綿綿思遠道——

　遠道不可思，

　　夙昔夢見之……"

　十一，十三晨，一九二三。

　　　（一）

反覆的苦讀着

　父親十月三日的來書，

　　當做最近的消息。

我泫然的覺出了世界上的隔膜！

　　　（二）

十分的倦了麼？

　自己收拾着安息去罷，

　　如今不在母親的身旁了。

　　　（三）

半信半疑的心中充滿了生意——

下得樓來，

　　因着空的信匣，

　　　却詛咒了無味的生活。

（116）

— 120 —

（四）

萬　聲　寂　然　，

　　萬　衆　凝　神　之　中，

我　不　聽'傾　國'的　音　樂，

却　苦　憶　着　初　學　四　絃　琴　的　弟　弟。

（五）

信　差　悠　然　的　關　上　了　信　櫃，

　　微　笑　說"所　有　的　都　在　這　裏　了。"

我　微　微　的　起　了　戰　慄，

　"這　是　何　等　殘　忍　的　話　呵，"

勉　强　不　經　意　的　收　起　鑰　匙，

囘　身　去　看　他　剛　送　來　的　公　閱　的　報。

（六）

從　囘　家　的　夢　裏　醒　來，

明　知　是　無　用　的，

　　却　仍　要　閉　上　眼　睛，

希　望　眞　境　是　夢，

　　夢　境　是　眞。

　　　　　　（117）

（七）

"我的父親是世界最上好的爹爹，

　　母親是最好的媽媽！"

在她滿足的微笑裏，

　　我覺起了無謂的不平。

（八）

"秋風起了，

　　不要儘到湖上去呵！"

爲着要慰安自己，

連夢中的母親的話語

　　也聽從了！

（九）

如夜夜都在還鄉的夢裏，

　　二十四點鐘也平分了，

可憐并不是如此！

（十）

隔着玻璃，

(118)

看見了中國的郵票，
這一日的光陰，
已是可祝福的！
（十一）
經過了離別，
我淒然的承認了
許多詩詞
在文學上的價值。
（十二）
信和眼淚，
都在敲門聲中錯亂的收起，
對着凝視着我的她，
揉着眼睛
掩飾的抱怨着煩難的功課。
（十三）
朋友信中，
個個說着別離苦，
第二書來，

(119)

却只是歡欣鼓舞。

我已從喜樂的字裏，

　尋出淚珠了！

　　（十四）

離開母親三個月了，

　竟能悠悠地生活着！

忙中猛然想起，

　就含淚的褒獎自己的堅強。

　　（十五）

她提着包兒，

　如飛的走下樓來，

"忙什麼？"

"再見，我囘家去。"

　這一答是出乎意外似的，

　我呆立了半晌……

　　（十六）

"生活愉快麼？"

"愉快……"

　　　（120）

是笑着回答的上半句；
"只是想家！"
是至終沒有說出的下半句。
（十七）
亂絲般的心緒，
都束在母親的一句話裏，
"自己愛自己！"

是的，為着愛自己，
這不自愛的筆兒
也常停止了！

（121）

(2) 桃色的雲　魯迅譯愛羅先珂童話劇　七角

(3) 吶喊　魯迅作短篇小說集　七角

(4) 紡輪故事　CF譯孟代童話集　七角

(5) 山野掇拾　孫福熙作遊記集　九角

(6) 陀螺　周作人譯小品集

(7) 兩條腿　李小峯譯　四角半

(8) 微雨　李金髮作詩集

(9) 雨天的書　周作人作散文集

文藝叢書

一九二三年五月　初版

一九二五年八月　再版

著作者　冰心女士

編者　周作人

發行者　北新書局

印刷者　志成印書館

春水一冊　定價大洋　五角

著者版權所有　不許翻印